Beginning Spanish

A Cultural Approach

Fourth Edition

Cuaderno de ejercicios

Richard Armitage
Walter Meiden
Mario Iglesias

Houghton Mifflin Company • Boston
Dallas • Geneva, Illinois • Hopewell, New Jersey
Palo Alto • London

Preface

This book of exercises is designed to accompany the fourth edition of *Beginning Spanish—A Cultural Approach*. The **Cuaderno de ejercicios** affords a complete tapescript of the recorded program and furnishes written exercises to supplement those in the textbook. Each of the fifty lessons is divided into three parts:

1—Pronunciación

The printed instructions for this part indicate what portions of the reading selections from the textbook have been recorded and how they are presented. Lessons 1 to 12 are read with double repetitions and pauses for student responses. Lessons 13 to 16 are read with single repetitions and pauses for student responses. Beginning with Lesson 17, a portion of each lesson is recorded with pauses, and the remainder is read at normal speed for comprehension.

2—Preguntas

This section consists of two series of five questions each: the first set is made up of questions to be answered with **sí** or **no**; the second set, involving the same information, asks the student to choose one of two possible answers. The questions themselves serve as models for phrasing responses and are so constructed that the student response will correspond to that of the recording. We suggest that in the laboratory the student listen to the question and give the response without looking at the printed page; when studying the lesson at home, the printed question will furnish a framework for repetition. These questions serve to develop comprehension, to reinforce the cultural content and the principal structures studied in the lesson, and to gain oral fluency.

3—Estructuras

A series of drills, each of which treats only one concept, summarizes the important grammatical structures and, at times, common basic word patterns introduced in the lesson. Each exercise is preceded by a model, and in many cases cues to the anticipated responses are given. Certain lessons contain specialized dictation exercises. The instructions and the sentences to be written are recorded.

Recordings

The recordings which accompany this **Cuaderno de ejercicios** and the basic text, *Beginning Spanish —A Cultural Approach*, fourth edition, are recorded on seven-inch reels at 3 3/4 ips. A complete index of the recorded program appears on the back of each tape box. All the material in the section entitled **Pronunciación**, all the **Preguntas**, all drills in the **Estructuras** section, and all the dictations are recorded.

This **Cuaderno de ejercicios** lends itself to a variety of uses, either as a tapescript or a workbook. It can be used to prepare for the class or lab session, as a script for the recorded program, and as a succinct review of both classroom and listening activities. Since all the answers of the **Preguntas** and the responses to all of the recorded drills under **Estructuras** are heard after the pause for the student repetition, the exercises in this book constitute a self-correcting learning device when used in conjunction with the recorded program.

R.A.
W.M.
M.I.

1 Norte América y Sud América

Pronunciación

Listen to the passage. Repeat in the pauses provided. Try to imitate exactly what the speaker says.

Preguntas

A. Answer each question in a complete sentence. Begin your answer with **sí** or **no.**

Modelo: ¿Es Sud América una nación?
  No, Sud América no es una nación.

1. ¿Es Norte América un país? 2. ¿Es México una parte de Sud América? 3. ¿Son Bolivia y Chile continentes? 4. ¿Es Colombia una nación? 5. ¿Es Chile un país de Norte América?

B. Answer each question in a complete sentence. Model your answer on the question.

1. ¿Es Norte América un continente o un país? 2. ¿Es México una parte de Norte América o de Sud América? 3. ¿Son Bolivia y Chile países o continentes? 4. ¿Es Colombia una nación o un continente? 5. ¿Es Chile un país de Norte América o de Sud América?

Estructuras

A. The use of **un** and **una**

Repeat each sentence, substituting the indicated noun with **un** or **una.**

Modelo: Es una señora. (continente)
  *Es **un** continente.*

1. nación   2. país   3. señor   4. parte   5. señorita

B. The plural of **es**

Add . . . **y Colombia** to the subject of the sentence and make other appropriate changes.

Modelo: México es un país.
  México y Colombia son países.

1. Venezuela es un país. 2. Chile es un país. 3. Bolivia es un país. 4. México es una nación. 5. Venezuela es una nación. 6. Chile es una nación. 7. Bolivia es una nación.

C. The use of **también**

Write that the second place named is also whatever the first one is.

Modelo: Colombia es una nación. ¿ Y Bolivia ?
　　　　*Bolivia es una nación **también.***

1. México es una nación. ¿ Y Chile ?　2. Venezuela es una nación. ¿ Y Colombia ?　3. Bolivia es una nación. ¿ Y Venezuela ?　4. Colombia es un país. ¿ Y México?　5. Chile es un país. ¿ Y Bolivia ?　6. México es un país. ¿ Y Chile ?

1. _____

2. _____

3. _____

4. _____

5. _____

6. _____

D. The plural of nouns

Write each sentence in the plural.

Modelo: Es un continente.
　　　　Son continentes.

1. Es una señorita. 2. Es una parte. 3. Es un país. 4. Es un señor. 5. Es una nación. 6. Es una señora.

1. _____

2. _____

3. _____

4. _____

5. _____

6. _____

2 La capital

Pronunciación

Listen to the passage. Repeat in the pauses provided. Try to imitate exactly what the speaker says.

Preguntas

Answer each question in a complete sentence. Begin your answer with **sí** or **no**.

1. ¿ Es la ciudad de México la capital de México ? 2. ¿ Es la capital de México una ciudad grande ? 3. ¿ Tiene la capital de México casi dos millones de habitantes ? 4. ¿ Es México una ciudad bella ? 5. ¿ Es la ciudad de México el centro del gobierno mexicano ? 6. ¿ Es la capital el centro de la cultura mexicana ? 7. ¿ Tienen México y los Estados Unidos culturas diferentes ? 8. ¿ Es antigua la cultura europea ? 9. ¿ Es europea la cultura de los indios ?

Estructuras

A. The use of **el** and **la**

Change **un** to **el** and **una** to **la**.

Modelo: Es un continente.
*Es **el** continente.*

1. Es una parte. 2. Es un gobierno. 3. Es una calle. 4. Es un parque. 5. Es un habitante. 6. Es una nación. 7. Es un señor. 8. Es una señorita.

B. The use of **también** + adjective

Answer each question with **Sí** and end the answer with . . . **y también interesante.**

Modelo: ¿ Es bonito el edificio ?
*Sí, **es bonito y también interesante.***

1. ¿ Es diferente el edificio ? 2. ¿ Es grande el edificio ? 3. ¿ Es antiguo el edificio ? 4. ¿ Es bello el edificio ? 5. ¿ Son diferentes los parques ? 6. ¿ Son bellos los parques ? 7. ¿ Son bonitos los parques ?

C. The use of **naturalmente, pero,** and **muy**

Answer each question as in the model.

Modelo: ¿ Es antigua la cultura ?
*Naturalmente, es antigua pero no **muy** antigua.*

1. ¿ Es grande la ciudad ? 2. ¿ Es bonito el parque ? 3. ¿ Es diferente la capital ? 4. ¿ Es interesante el centro ? 5. ¿ Son grandes los parques ? 6. ¿ Son diferentes las calles ? 7. ¿ Son interesantes los países ? 8. ¿ Son bonitas las señoritas ?

3

D. The plural of nouns and adjectives

Write each sentence in the plural.

Modelo: Es la señora interesante.
Son las señoras interesantes.

    1. Es el edificio público. 2. Es el país antiguo. 3. Es la ciudad grande. 4. Es la cultura antigua. 5. Es la nación grande. 6. Es el continente diferente. 7. Es el parque bonito.

1. _____

2. _____

3. _____

4. _____

5. _____

6. _____

7. _____

E. The plural (of nouns, verbs, and adjectives)

Rewrite each sentence in the plural, as in the model.

Modelo: La calle tiene un edificio público.
Las calles tienen muchos edificios públicos.

    1. La ciudad tiene una calle grande. 2. La capital tiene un parque bonito. 3. El continente tiene una nación grande. 4. El país tiene una ciudad bonita. 5. La nación tiene una ciudad antigua.

1. _____

2. _____

3. _____

4. _____

5. _____

F. The agreement of adjectives in the singular

Rewrite each sentence, substituting the indicated noun.

Modelo: Es una ciudad bonita. (parque)
*Es un parque **bonito**.*

    1. edificio   2. capital   3. calle   4. país   5. señorita   6. señora

1. _____   4. _____

2. _____   5. _____

3. _____   6. _____

3 El Paseo de la Reforma y Chapultepec

Pronunciación

Listen to the passage. Repeat in the pauses provided. Try to imitate exactly what the speaker says.

Preguntas

A. Answer each question in a complete sentence. Begin your answer with **sí** or **no.**

1. ¿ Viven los obreros en casas muy elegantes ? 2. ¿ Es Chapultepec un parque grande ? 3. ¿ Es el castillo de Chapultepec un museo nacional ? 4. ¿ Hay una colina en el Paseo de la Reforma ? 5. ¿ Hay casas de adobe en los barrios elegantes de la capital ?

B. Answer each question in a complete sentence. Model your answer on the question.

1. ¿ Viven los obreros en casas muy elegantes o en casas de adobe ? 2. ¿ Es Chapultepec un parque grande o una ciudad ? 3. ¿ Es el castillo de Chapultepec un parque o un museo nacional ? 4. ¿ Hay una colina en el bosque de Chapultepec o en el Paseo de la Reforma ? 5. ¿ Hay casas de adobe o casas muy bellas en los barrios elegantes de la capital ?

Estructuras

A. Forms of the demonstrative adjective **este**

Repeat each sentence, changing the article modifying the subject to the proper form of **este.**

Modelo: El continente es grande.
Este continente es grande.

1. La ciudad es grande. 2. Los barrios son grandes. 3. Las casas son grandes. 4. El parque es grande. 5. Las estatuas son grandes. 6. La avenida es grande. 7. El monumento es grande. 8. Los edificios son grandes.

B. Forming the plural of subject and verb

Say each sentence in the plural.

Modelo: La ciudad tiene edificios enormes.
Las ciudades tienen edificios enormes.

1. La calle tiene edificios enormes. 2. La avenida tiene edificios enormes. 3. La capital tiene edificios enormes. 4. El barrio tiene edificios enormes. 5. El gobierno tiene edificios enormes.

C. Forming the plural of the direct object

Make the direct object plural and add the proper form of **mucho**.

Modelo: La avenida tiene una casa grande.
*La avenida tiene **muchas casas grandes.***

1. La avenida tiene un parque grande. 2. La avenida tiene una estatua grande. 3. La avenida tiene un edificio grande. 4. La avenida tiene un árbol grande. 5. La avenida tiene un museo grande. 6. La avenida tiene un monumento grande.

D. The relative **que**

Write the answer to the question with a **que** clause.

Modelo: ¿ La ciudad tiene barrios bonitos ?
*Sí, es una ciudad **que** tiene barrios bonitos.*

1. ¿ La ciudad tiene avenidas bonitas ? 2. ¿ La ciudad tiene calles bonitas ? 3. ¿ La ciudad tiene casas bonitas ? 4. ¿ La ciudad tiene edificios bonitos ? 5. ¿ La ciudad tiene parques bonitos ? 6. ¿ La ciudad tiene museos bonitos ?

1. _____

2. _____

3. _____

4. _____

5. _____

6. _____

E. The use of **hay** and **se encuentra**.

Write the answer to the question with **sí** and **se encuentran**, as in the model.

Modelo: ¿ Hay edificios interesantes en la ciudad ?
*Sí, en la ciudad **se encuentran** algunos edificios interesantes.*

1. ¿ Hay monumentos interesantes en la ciudad ? 2. ¿ Hay museos interesantes en la ciudad ? 3. ¿ Hay parques interesantes en la ciudad ? 4. ¿ Hay castillos interesantes en la ciudad ? 5. ¿ Hay barrios interesantes en la ciudad ? 6. ¿ Hay bosques interesantes en la ciudad ?

1. _____

2. _____

3. _____

4. _____

5. _____

6. _____

4 Otras ciudades de México

Pronunciación

Listen to the passage. Repeat in the pauses provided. Try to imitate exactly what the speaker says.

Preguntas

A. Answer each question with a complete sentence. Begin your answer with **sí** or **no.**

1. ¿ Es Guadalajara la primera ciudad de México ? 2. ¿ Está Monterrey en el norte de México ? 3. ¿ Está Veracruz en el oeste del país ? 4. ¿ Es Monterrey un puerto del Golfo de México ? 5. ¿ Están Tampico y Veracruz en el este del país ?

B. Answer each question in a complete sentence. Model your answer on the question.

1. ¿ Es Guadalajara la primera o la segunda ciudad de México ? 2. ¿ Está Monterrey en el este o en el norte del país ? 3. ¿ Está Veracruz en el oeste o en el este del país ? 4. ¿ Es Monterrey una ciudad industrial o un puerto del Golfo de México ? 5. ¿ Están Tampico y Veracruz en el este o en el centro del país ?

Estructuras

A. The use of **¿ Qué . . . ?** to ask for a definition

Ask what each of the following are.

Modelo: México
> *¿ Qué es México ?*

1. Chile   2. Norte América   3. Chapultepec   4. un bosque   5. Colombia y Venezuela 6. los Estados Unidos   7. un continente   8. una capital

B. The use of **¿ Cuál es . . . ?** to ask what something is

Ask a question based on the statement. Begin the question with **¿ Cuál . . .**

Modelo: México es la capital de México.
> *¿ Cuál es la capital de México ?*

1. Guadalajara es la segunda ciudad del país. 2. México es la primera ciudad del país. 3. Monterrey es la tercera ciudad del país. 4. México es el centro del gobierno. 5. Monterrey es el centro industrial del país. 6. México es el centro de la cultura mexicana.

C. The expression **más de**

Answer each question, using the expression **más de**. Begin your answer with **No.**

Modelo: ¿ Hay dos museos en la ciudad ?
No, hay más de dos museos.

1. ¿ Hay dos parques en la ciudad ? 2. ¿ Hay dos avenidas en la ciudad ? 3. ¿ Hay dos tiendas en la ciudad ? 4. ¿ Hay dos edificios en la ciudad ? 5. ¿ Hay dos fábricas en la ciudad ? 6. ¿ Hay dos monumentos en la ciudad ? 7. ¿ Hay dos castillos en la ciudad ? 8. ¿ Hay dos barrios en la ciudad ?

D. The use of **por** (*because of*)

React to the statement with **por**, as in the model, beginning with **Sí, es importante . . .**

Modelo: El barrio tiene muchas fábricas.
Sí, es importante por las fábricas que tiene.

1. El barrio tiene muchos parques. 2. El barrio tiene muchas avenidas. 3. El barrio tiene muchas tiendas. 4. El barrio tiene muchas casas. 5. El barrio tiene muchos árboles. 6. El barrio tiene muchos museos. 7. El barrio tiene muchos edificios. 8. El barrio tiene muchos monumentos.

1. _____

2. _____

3. _____

4. _____

5. _____

6. _____

7. _____

8. _____

E. The use of **ser** and **estar**

From the statement given, write where the museum is located.

Modelo: El museo es un edificio grande que hay en el centro.
Sí, el museo está en el centro.

1. El museo es un edificio grande que hay en la avenida. 2. El museo es un edificio grande que hay en el barrio norte. 3. El museo es un edificio grande que hay en la ciudad. 4. El museo es un edificio grande que hay en el Paseo de la Reforma. 5. El museo es un edificio grande que hay en el parque. 6. El museo es un edificio grande que hay en la calle Tercera.

1. _____

2. _____

3. _____

4. _____

5. _____

6. _____

5 Las montañas de México

Pronunciación

Listen to the passage. Repeat in the pauses provided. Try to imitate exactly what the speaker says.

Preguntas

A. Answer each question in a complete sentence. Begin your answer with **sí** or **no**.

1. ¿ Es México el país menos montañoso de Norte América ? 2. ¿ Hay montañas en todas las partes del país ? 3. ¿ Se ve el pico del ''Popo'' desde Guadalajara en los días claros ? 4. ¿ Hay muchas minas de plata cerca de Taxco ? 5. ¿ Se fabrican artículos de plata en Taxco ?

B. Answer each question in a complete sentence. Model your answer on the question.

1. ¿ Es México el país más o menos montañoso de Norte América ? 2. ¿ Hay montañas en el centro o en todas partes del país ? 3. ¿ Se ve el pico del ''Popo'' desde Guadalajara o desde la capital en los días claros ? 4. ¿ Hay muchas minas de plata cerca de Taxco o cerca de Tampico ? 5. ¿ Se fabrican artículos de plata en Veracruz o en Taxco ?

Estructuras

A. Comparison of adjectives with **más**

Compare the **calle** to the **avenida,** as in the model.

Modelo: La calle es muy grande.
*Sí, pero la avenida es **más grande** que la calle.*

1. La calle es muy famosa. 2. La calle es muy hermosa. 3. La calle es muy importante. 4. La calle es muy bella. 5. La calle es muy elegante. 6. La calle es muy bonita.

B. Comparison of adjectives with **menos**

Compare the two nouns, saying that the **calles** are less . . . than the **avenidas.**

Modelo: Las calles son anchas. ¿ Y las avenidas ?
*Las calles son **menos anchas** que las avenidas.*

1. Las calles son grandes. ¿ Y las avenidas ?   2. Las calles son bonitas. ¿ Y las avenidas ?
3. Las calles son interesantes. ¿ Y las avenidas ?   4. Las calles son elegantes. ¿ Y las avenidas ?
5. Las calles son importantes. ¿ Y las avenidas ?   6. Las calles son hermosas. ¿ Y las avenidas ?

C. Superlative of adjectives

React to each statement affirmatively with a superlative, as in the model.

Modelo: Esta avenida es muy ancha.
     *Sí, es la avenida **más ancha** de la ciudad.*

    1. Esta avenida es muy importante. 2. Esta avenida es muy hermosa. 3. Esta avenida es muy grande. 4. Esta avenida es muy famosa. 5. Esta avenida es muy elegante. 6. Esta avenida es muy bonita. 7. Esta avenida es muy bella. 8. Esta avenida es muy pobre.

D. Comparison of adjectives

Write the answer to the question, saying that the **museo** is more . . . than the **castillo.**

Modelo: ¿ Cuál es más interesante, el museo o el castillo ?
     *El museo es **más interesante que** el castillo.*

    1. ¿ Cuál es más famoso, el museo o el castillo ? 2. ¿ Cuál es más grande, el museo o el castillo ? 3. ¿ Cuál es más hermoso, el museo o el castillo ? 4. ¿ Cuál es más importante, el museo o el castillo ? 5. ¿ Cuál es más bonito, el museo o el castillo ? 6. ¿ Cuál es más ancho, el museo o el castillo ?

1. _____

2. _____

3. _____

4. _____

5. _____

6. _____

E. Superlative of adjectives without the noun

Write the answer to the question, using the superlative.

Modelo: ¿ Es famosa también esta ciudad ?
     *Sí, es la **más famosa** de estas ciudades.*

    1. ¿ Es industrial también esta ciudad ? 2. ¿ Es colonial también esta ciudad ? 3. ¿ Es importante también esta ciudad ? 4. ¿ Es antigua también esta ciudad ? 5. ¿ Es bonita también esta ciudad ? 6. ¿ Es grande también esta ciudad ?

1. _____

2. _____

3. _____

4. _____

5. _____

6. _____

6 La meseta central y la costa

Pronunciación

Listen to the passage. Repeat in the pauses provided. Try to imitate exactly what the speaker says.

Preguntas

A. Answer each question in a complete sentence. Begin your answer with **sí** or **no.**

1. ¿ Es agradable el clima de la meseta ? 2. ¿ Es templado el clima de la costa ? 3. ¿ Hay cuatro estaciones en México ? 4. ¿ Es muy elevado el terreno de la costa ? 5. ¿ Hay ruinas mayas en la meseta central ?

B. Answer each question in a complete sentence. Model your answer on the question.

1. ¿ Es agradable o insoportable el clima de la meseta ? 2. ¿ Es templado o tropical el clima de la costa ? 3. ¿ Hay dos o cuatro estaciones en México ? 4. ¿ Es muy elevado o muy bajo el terreno de la costa ? 5. ¿ Hay ruinas mayas en la meseta central o en Yucatán ?

Estructuras

A. Comparisons with **tan . . . como**

Write each sentence, answering the question negatively and using **tan . . . como** in your reply.

Modelo: ¿ Es esta región menos seca que la meseta ?
   No, es tan seca como la meseta.

1. ¿ Es esta región menos alta que la meseta ? 2. ¿ Es esta región menos agradable que la meseta ? 3. ¿ Es esta región menos elevada que la meseta ? 4. ¿ Es esta región menos importante que la meseta ? 5. ¿ Es esta región menos montañosa que la meseta ? 6. ¿ Es esta región menos pobre que la meseta ?

1. _____

2. _____

3. _____

4. _____

5. _____

6. _____

B. Impersonal expressions + infinitive

Rewrite each sentence, substituting the indicated adjective.

Modelo: Es agradable ver estas montañas. (importante)
       Es importante ver estas montañas.

    1. fácil   2. hermoso   3. interesante   4. bonito   5. bello

1. _____

2. _____

3. _____

4. _____

5. _____

C. Plural of nouns and verbs

Rewrite each sentence, making the subject and verb plural.

Modelo: Esta calle está en el centro.
       Estas calles están en el centro.

    1. Este obrero vive en el centro. 2. Este señor trabaja en el centro. 3. Este artículo se fabrica en el centro. 4. Este metal se vende en el centro. 5. Este museo se ve en el centro. 6. Esta tienda se encuentra en el centro.

1. _____

2. _____

3. _____

4. _____

5. _____

6. _____

D. The use of **aunque**

Rewrite each sentence according to the model.

Modelo: Esta meseta está en la zona tropical.
       Aunque está en la zona tropical, es muy agradable.

    1. Este terreno está en las montañas. 2. Esta península está en la zona seca. 3. Este barrio está en la zona del puerto. 4. Estas ciudades están en la costa. 5. Estas casas están en el bosque. 6. Estos parques están en un barrio pobre.

1. _____

2. _____

3. _____

4. _____

5. _____

6. _____

E. The use of **donde**

Rewrite each sentence, substituting **donde hay** for **que tiene.**

Modelo: México es una ciudad que tiene muchos parques.
México es una ciudad donde hay muchos parques.

1. México es una ciudad que tiene muchos museos. 2. México es una ciudad que tiene muchos barrios. 3. México es una ciudad que tiene muchos árboles. 4. México es una ciudad que tiene muchas fábricas. 5. México es una ciudad que tiene muchas avenidas. 6. México es una ciudad que tiene muchas estatuas.

1. _____

2. _____

3. _____

4. _____

5. _____

6. _____

F. The use of **como** to express *because*

Rewrite each sentence according to the model.

Modelo: Esta estación es insoportable porque llueve mucho.
Como llueve mucho esta estación es insoportable.

1. Esta región es insoportable porque llueve mucho. 2. Esta zona es insoportable porque llueve mucho. 3. Esta meseta es insoportable porque llueve mucho. 4. Este clima es insoportable porque llueve mucho. 5. Esta ciudad es insoportable porque llueve mucho. 6. Este tiempo es insoportable porque llueve mucho.

1. _____

2. _____

3. _____

4. _____

5. _____

6. _____

G. The comparative

Rewrite each sentence so as to compare the two nouns.

Modelo: ¿ Son grandes los dos edificios ?
*Sí, pero uno es **más grande** que el otro.*

1. ¿ Son altos los dos edificios ? 2. ¿ Son importantes los dos edificios ? 3. ¿ Son bonitos los dos edificios ? 4. ¿ Son interesantes los dos edificios ? 5. ¿ Son hermosos los dos edificios ? 6. ¿ Son elegantes los dos edificios ?

1. _____

2. _____

3. _____

4. _____

5. _____

6. _____

7　La lengua de México

Pronunciación

Listen to the passage. Repeat in the pauses provided. Try to imitate exactly what the speaker says.

Preguntas

A.　Answer each question in a complete sentence. Begin your answer with **sí** or **no.**

1. ¿ Es el español la lengua nacional de México ? 2. ¿ Hablan español la mayoría de los mexicanos ? 3. ¿ Hablan los mexicanos exactamente como los españoles ? 4. ¿ Aprenden español los niños indios en la escuela ? 5. ¿ Hablan español los indios que viven en la ciudad ?

B.　Answer each question in a complete sentence. Model your answer on the question.

1. ¿ Es el español o un dialecto indio la lengua nacional de México ? 2. ¿ Hablan español o un dialecto indio la mayoría de los mexicanos ? 3. ¿ Hablan los mexicanos exactamente como los españoles o hablan con otro acento ? 4. ¿ Aprenden español o un dialecto los niños indios en la escuela ? 5. ¿ Hablan español los indios que viven en la ciudad o los indios que viven aislados ?

Estructuras

A.　Names of languages with and without the article

Answer each question as indicated in the model.

Modelo:　¿ Emplean dialectos indios en esta escuela ?
　　　　　　Sí, pero emplean el español también.

1. ¿ Hablan dialectos indios en esta escuela ? 2. ¿ Usan dialectos indios en esta escuela ? 3. ¿ Aprenden dialectos indios en esta escuela ? 4. ¿ Leen dialectos indios en esta escuela ?

B.　The **se** construction

React to each sentence as in the model.

Modelo:　Los habitantes de Colombia hablan español.
　　　　　　Se habla español en Colombia.

1. Los habitantes de Chile hablan español. 2. Los habitantes de Venezuela hablan español. 3. Los habitantes de Francia hablan francés. 4. Los habitantes de México hablan español. 5. Los habitantes de los Estados Unidos hablan inglés. 6. Los habitantes de España hablan español. 7. Los habitantes del Canadá hablan inglés. 8. Los habitantes de Bolivia hablan español.

C. The use of **mucho**

Answer each question with **mucho,** as in the model.

Modelo: ¿ Tienen algunos museos en la ciudad ?
      *Sí, tienen **muchos.***

   1. ¿ Hablan algunas lenguas diferentes en Norte América ? 2. ¿ Emplean algunos productos norteamericanos en México ? 3. ¿ Usan algunas palabras españolas en los Estados Unidos ? 4. ¿ Aprenden algunos dialectos indios en Bolivia ? 5. ¿ Leen algunas historias interesantes en la escuela ? 6. ¿ Venden algunos productos importantes en esta tienda ? 7. ¿ Fabrican algunos artículos de plata en Taxco ? 8. ¿ Tienen algunas tiendas elegantes en la capital ?

D. The formation of the plural of subject and verb

Write the subject and verb of each sentence in the plural.

Modelo: Este mexicano pronuncia bien.
      Estos mexicanos pronuncian bien.

   1. Este español habla mucho. 2. Esta palabra tiene acento. 3. Esta fábrica emplea muchos obreros. 4. Este niño vive en el barrio norte. 5. Este indio aprende español. 6. Este obrero trabaja en la ciudad. 7. Este señor lee muy bien.

1. _____

2. _____

3. _____

4. _____

5. _____

6. _____

7. _____

E. The formation of the singular of subject and verb

Write the subject and verb of each sentence in the singular.

Modelo: Los obreros viven en la ciudad.
      El obrero vive en la ciudad.

   1. Los niños hablan español. 2. Los indios pronuncian bien. 3. Las fábricas emplean muchos obreros. 4. Los mexicanos usan algunos productos norteamericanos. 5. Las montañas son muy altas. 6. Los obreros aprenden español. 7. Los señores leen la historia.

1. _____

2. _____

3. _____

4. _____

5. _____

6. _____

7. _____

8   La instrucción en México

Pronunciación

Listen to the passage. Repeat in the pauses provided. Try to imitate exactly what the speaker says.

Preguntas

A.   Answer each question in a complete sentence. Begin your answer with **sí** or **no.**

1. ¿ Existen en México regiones donde no hay ninguna escuela ? 2. ¿ Hay universidades en las ciudades ? 3. ¿ Ganan mucho dinero los médicos del campo ? 4. ¿ Hablan español todos los indios mexicanos ? 5. ¿ Son modernas las escuelas de las ciudades mexicanas ?

B.   Answer each question in a complete sentence. Model your answer on the question.

1. ¿ Existen en México regiones donde no hay ninguna escuela o tienen todas las regiones de México escuelas ? 2. ¿ Hay universidades en las ciudades o en el campo ? 3. ¿ Ganan más dinero los médicos del campo o los médicos de la ciudad ? 4. ¿ Hablan español todos los indios o una gran parte de los indios mexicanos ? 5. ¿ Son modernas o antiguas las escuelas de las ciudades mexicanas ?

Estructuras

A.   The use of **nadie** as subject

Substitute **nadie** as the subject of the sentence.

Modelo: Este español tiene mucho dinero.
   Nadie tiene mucho dinero.

1. Este español sabe muchos dialectos. 2. Este español escribe muchos ejercicios. 3. Este español gana mucho dinero. 4. Este español habla muchas lenguas. 5. Este español tiene mucha instrucción. 6. Este español usa muchas palabras. 7. Este español fabrica muchas casas. 8. Este español vende muchos artículos.

B.   The use of **ningún**

Answer each question negatively with the appropriate form of **ninguno.**

Modelo: ¿ Hay algunas escuelas en este barrio ?
   No, no hay ninguna escuela en este barrio.

1. ¿ Hay algunos españoles en este barrio ? 2. ¿ Hay algunos obreros en este barrio ? 3. ¿ Hay algunas fábricas en este barrio ? 4. ¿ Hay algunas tiendas en este barrio ? 5. ¿ Hay algunos parques en este barrio ? 6. ¿ Hay algunos monumentos en este barrio ? 7. ¿ Hay algunas familias en este barrio ? 8. ¿ Hay algunos médicos en este barrio ?

C. The use of **nada de**

Answer each question negatively, using **nada de.**

Modelo: ¿ Sabe el niño algo de inglés ?

*No, el niño **no** sabe **nada de inglés.***

1. ¿ Sabe el niño algo de español ? 2. ¿ Sabe el niño algo de historia ? 3. ¿ Sabe el niño algo de francés ? 4. ¿ Sabe el niño algo de México ? 5. ¿ Sabe el niño algo de higiene ? 6. ¿ Sabe el niño algo de medicina ?

D. The use of **no más que**

Respond to each statement, using **no más que tres.**

Modelo: Esta familia tiene cuatro hijos.

*No, esta familia no tiene **más que tres** hijos.*

1. Esta ciudad tiene cuatro fábricas. 2. Esta región tiene cuatro ciudades. 3. Esta calle tiene cuatro tiendas. 4. Esta escuela tiene cuatro maestros. 5. Este señor tiene cuatro médicos. 6. Este barrio tiene cuatro museos. 7. Este parque tiene cuatro estatuas. 8. Este indio tiene cuatro hijos.

E. The use of **nunca**

Write each sentence with **nunca.**

Modelo: Los niños van a la escuela.

*Los niños **nunca** van a la escuela.*

1. Los médicos escriben artículos. 2. Los obreros ganan mucho dinero. 3. Los maestros tienen mucho trabajo. 4. La señorita tiene que escribir la lección. 5. Los hijos hablan dialectos indios. 6. El niño sabe la lección. 7. El indio tiene dinero. 8. Los campesinos pronuncian bien.

1. _____

2. _____

3. _____

4. _____

5. _____

6. _____

7. _____

8. _____

F. The use of **no . . . nada**

Write each sentence with **no . . . nada.**

Modelo: Los obreros fabrican muchos artículos.

*Los obreros **no** fabrican **nada.***

1. Los obreros venden muchos artículos. 2. Los obreros usan muchos artículos. 3. Los obreros tienen muchos artículos. 4. Los obreros ven muchos artículos. 5. Los obreros leen muchos artículos. 6. Los obreros emplean muchos artículos. 7. Los obreros aprenden muchas lenguas. 8. Los obreros saben muchos dialectos.

1. _____

2. _____

3. _____

4. _____

5. _____

6. _____

7. _____

8. _____

G. The use of **saber** + infinitive with **no . . . ni**

Write each sentence with **no . . . ni.**

Modelo: El niño sabe leer y escribir.
    El niño no sabe leer ni escribir.

   1. El niño sabe trabajar y aprender. 2. El niño sabe hablar y escribir. 3. El niño sabe hablar y leer. 4. El niño sabe vender y ganar. 5. El niño sabe fabricar y vender. 6. El niño sabe pronunciar y escribir.

1. _____

2. _____

3. _____

4. _____

5. _____

6. _____

H. The use of **no . . . ni** with nouns

Write each sentence with **no . . . ni.**

Modelo: El parque tiene árboles y flores.
    El parque no tiene árboles ni flores.

   1. El médico tiene tiempo y dinero. 2. La avenida tiene tiendas y fábricas. 3. La ciudad tiene castillos y museos. 4. La región tiene montañas y volcanes. 5. El campo tiene escuelas y médicos. 6. El maestro tiene dinero y trabajo. 7. La capital tiene parques y bosques.

1. _____

2. _____

3. _____

4. _____

5. _____

6. _____

7. _____

I. The use of **tener que** + infinitive

Write each sentence with **tiene que** and the infinitive.

Modelo: El indio trabaja para ganar.
*El indio **tiene que trabajar** para ganar.*

1. El indio fabrica para vender. 2. El indio lee para aprender. 3. El indio escribe para saber. 4. El indio gana para vivir. 5. El indio aprende para vender. 6. El indio vende para ganar.

1. _____

2. _____

3. _____

4. _____

5. _____

6. _____

J. The use of **tampoco**

Write each sentence with **maestros** and **tampoco.**

Modelo: Los médicos no ganan mucho. ¿ Y los maestros ?
*Los maestros no ganan mucho **tampoco.***

1. Los médicos no saben mucho. ¿ Y los maestros ? 2. Los médicos no leen mucho. ¿ Y los maestros ? 3. Los médicos no escriben mucho. ¿ Y los maestros ? 4. Los médicos no hablan mucho. ¿ Y los maestros ? 5. Los médicos no aprenden mucho. ¿ Y los maestros ? 6. Los médicos no trabajan mucho. ¿ Y los maestros ?

1. _____

2. _____

3. _____

4. _____

5. _____

6. _____

9 Un norteamericano en México

Pronunciación

Listen to the passage. Repeat in the pauses provided. Try to imitate exactly what the teacher says.

Preguntas

A. Answer each question in a complete sentence. Begin your answer with **sí** or **no.**

1. ¿ Está en la capital la Universidad Nacional de México ? 2. ¿ Es usted norteamericano ? 3. ¿ Habla usted mucho español ? 4. ¿ Vive usted en un hotel ? 5. ¿ Hablan español los norteamericanos ?

B. Answer each question in a complete sentence. Model your answer on the question.

1. ¿ Está en la capital o en otra ciudad la Universidad Nacional de México ? 2. ¿ Es usted norteamericano o extranjero ? 3. ¿ Habla usted mucho o poco español ? 4. ¿ Vive usted en un hotel o en una casa ? 5. ¿ Hablan español o inglés los norteamericanos ?

Estructuras

A. Changing **ellos** forms to **usted** forms

Ask questions based on the model, using **usted.**

Modelo: Estos estudiantes hablan español.
   ¿ Usted habla español también ?

1. Estos estudiantes estudian historia. 2. Estos estudiantes preguntan mucho. 3. Estos estudiantes contestan poco. 4. Estos estudiantes entienden inglés. 5. Estos estudiantes ganan mucho. 6. Estos estudiantes viven en la ciudad.

B. Changing the **yo** form to the **ellos** form

Respond to each statement as in the model.

Modelo: Yo nunca trabajo mucho.
   Pues, estos estudiantes tampoco trabajan mucho.

1. Yo nunca hablo mucho. 2. Yo nunca estudio mucho. 3. Yo nunca entiendo mucho. 4. Yo nunca contesto mucho. 5. Yo nunca pregunto mucho. 6. Yo nunca leo mucho. 7. Yo nunca escribo mucho. 8. Yo nunca vendo mucho.

C. The use of **yo** forms of verbs and **algo de**

Answer each question with the **yo** form of the verb and **algo de.**

Modelo: ¿ Entiende usted español ?
   Entiendo algo de español.

1. ¿ Habla usted español ? 2. ¿ Lee usted español ? 3. ¿ Escribe usted español ? 4. ¿ Aprende usted español ?

D. The present of –**ar** verbs

Rewrite each sentence, substituting the indicated subject.

Modelo: Usted busca un cuarto. (los estudiantes)
   Los estudiantes buscan un cuarto.

1. yo   2. Felipe   3. el señor   4. usted   5. los turistas   6. el español   7. Roberto y Carlos 8. las señoras

1. _____

2. _____

3. _____

4. _____

5. _____

6. _____

7. _____

8. _____

E. The present of –**er** verbs

Rewrite each sentence, substituting the indicated subject.

Modelo: Los estudiantes aprenden español. (el campesino)
   El campesino aprende español.

1. Los norteamericanos   2. yo   3. usted   4. los niños   5. el indio   6. las familias 7. Roberto y José   8. el médico

1. _____

2. _____

3. _____

4. _____

5. _____

6. _____

7. _____

8. _____

F. The present of **–ir** verbs

Rewrite each sentence, substituting the indicated subject.

Modelo: Usted vive en los Estados Unidos. (el maestro)
El maestro vive en los Estados Unidos.

1. los obreros 2. Roberto y Felipe 3. la señora García 4. yo 5. el señor y la señora García 6. usted 7. los estudiantes 8. la familia

1. _____

2. _____

3. _____

4. _____

5. _____

6. _____

7. _____

8. _____

G. The present of **ser**

Rewrite each sentence, substituting the indicated subject.

Modelo: La señora es agradable. (los maestros)
Los maestros son agradables.

1. Felipe 2. ustedes 3. la señora 4. yo 5. el médico 6. Carlos y José 7. usted 8. los estudiantes

1. _____

2. _____

3. _____

4. _____

5. _____

6. _____

7. _____

8. _____

H. The present of **estar**

Rewrite each sentence, substituting the indicated subject.

Modelo: Los turistas están en el museo. (la estatua)
   La estatua está en el museo.

   1. yo   2. usted   3. las señoras   4. el maestro   5. los estudiantes   6. Felipe y Roberto
7. el señor   8. las películas

1. _____

2. _____

3. _____

4. _____

5. _____

6. _____

7. _____

8. _____

I. The use of **ser** and **estar**

Write the answer to each question as in the model.

Modelo: ¿ Es norteamericano el niño ?
   Sí, el niño es norteamericano, pero está en México.

   1. ¿ Es norteamericano Roberto ? 2. ¿ Es norteamericana la señorita ? 3. ¿ Es norteamericana
la señora ? 4. ¿ Es norteamericano el maestro ? 5. ¿ Son norteamericanos los estudiantes ? 6. ¿ Son
norteamericanos los médicos ? 7. ¿ Son norteamericanas las familias ? 8. ¿ Son norteamericanos los
turistas ?

1. _____

2. _____

3. _____

4. _____

5. _____

6. _____

7. _____

8. _____

10 Los estudiantes mexicanos

Pronunciación

Listen to the passage. Repeat in the pauses provided. Try to imitate exactly what the speaker says.

Preguntas

A. Answer each question in a complete sentence. Begin your answer with **sí** or **no.**

1. ¿ Estudian todos los mexicanos en la universidad ? 2. Generalmente ¿ son prácticos los norteamericanos ? 3. ¿ Son de México los estudiantes de esta clase ? 4. ¿ Aprenden español los estudiantes de esta clase ? 5. ¿ Estudian ingeniería los médicos ?

B. Answer each question in a complete sentence. Model your answer on the question.

1. ¿ Estudian todos o algunos mexicanos en la universidad ? 2. Generalmente ¿ son más prácticos los mexicanos o los norteamericanos ? 3. ¿ Son de México o de los Estados Unidos los estudiantes de esta clase ? 4. ¿ Aprenden español o francés los estudiantes de esta clase ? 5. ¿ Estudian medicina o ingeniería los médicos ?

Estructuras

A. The present tense of –ar verbs

Repeat each sentence, substituting the indicated subject.

Modelo: Ustedes nunca llegan después de la clase. (usted)
   Usted nunca llega después de la clase.

1. yo   2. Roberto y yo   3. usted y Carlos   4. nosotros   5. los niños   6. el estudiante
7. las señoritas   8. ustedes y los maestros

B. The **usted** and **yo** forms of verbs

Answer each question negatively with the **yo** form of the verb.

Modelo: ¿ Vive usted en la capital ?
   No, no vivo en la capital.

1. ¿ Aprende usted la poesía ? 2. ¿ Ocupa usted un cuarto grande ? 3. ¿ Contesta usted las preguntas ? 4. ¿ Estudia usted en la universidad ? 5. ¿ Lee usted aquí ? 6. ¿ Explica usted estos versos ? 7. ¿ Toca usted la guitarra ? 8. ¿ Es usted de esta región ?

C. The **ustedes** and **nosotros** forms of verbs

Write the answer to each question with the **nosotros** form of the verb.

Modelo: ¿ Viven ustedes en la capital ?
Sí, vivimos en la capital.

1. ¿ Aprenden ustedes en la clase ? 2. ¿ Estudian ustedes en la universidad ? 3. ¿ Trabajan ustedes en la fábrica ? 4. ¿ Leen ustedes en la casa ? 5. ¿ Escriben ustedes en la escuela ? 6. ¿ Cantan ustedes en el cuarto ? 7. ¿ Están ustedes en la tienda ?

1. _____

2. _____

3. _____

4. _____

5. _____

6. _____

7. _____

D. The present of **–er** verbs

Rewrite each sentence, substituting the indicated subject.

Modelo: Nosotros no aprendemos nada fácilmente. (ustedes)
*Ustedes no **aprenden** nada fácilmente.*

1. el niño   2. yo   3. usted   4. los estudiantes   5. la señora   6. Carlos y José   7. las señoritas

1. _____

2. _____

3. _____

4. _____

5. _____

6. _____

7. _____

E. The present of **–ir** verbs

Rewrite each sentence, substituting the indicated subject.

Modelo: Roberto vive en Saltillo. (Roberto y Carlos)
*Roberto y Carlos **viven** en Saltillo.*

1. usted   2. los estudiantes   3. yo   4. ustedes   5. el norteamericano   6. nosotros   7. Felipe y yo

1. _____

2. _____

3. _____

4. _____

5. _____

6. _____

7. _____

F. The present of **ser**

Rewrite each sentence, substituting the indicated subject.

Modelo: Este estudiante no es de Monterrey. (estos maestros)
Estos maestros no son de Monterrey.

1. yo   2. usted   3. nosotros   4. ustedes   5. este médico   6. estos poetas   7. usted y yo

1. _____

2. _____

3. _____

4. _____

5. _____

6. _____

7. _____

G. The **usted** form of verbs

Rewrite each sentence as in the model.

Modelo: Estos estudiantes cantan muy bien.
Usted también canta muy bien.

1. Estos estudiantes contestan muy bien. 2. Estos estudiantes aprenden muy bien. 3. Estos estudiantes escriben muy bien. 4. Estos estudiantes estudian muy bien. 5. Estos estudiantes leen muy bien. 6. Estos estudiantes trabajan muy bien. 7. Estos estudiantes hablan muy bien.

1. _____

2. _____

3. _____

4. _____

5. _____

6. _____

7. _____

H. The **ustedes** form of verbs

Write each question with **ustedes,** as in the model.

Modelo: Nosotros pronunciamos bien.
   *¿ Ustedes **pronuncian** bien ?*

   1. Nosotros hablamos inglés. 2. Nosotros estudiamos filosofía. 3. Nosotros aprendemos literatura. 4. Nosotros escribimos versos. 5. Nosotros vivimos en este barrio. 6. Nosotros tocamos la guitarra. 7. Nosotros somos poetas. 8. Nosotros estamos en Guadalajara.

1. _____   5. _____

2. _____   6. _____

3. _____   7. _____

4. _____   8. _____

I. The use of **aquí está**

Write the answer to each question, as in the model.

Modelo: ¿ Tiene Roberto un libro ?
   *Sí, **aquí está** el libro de Roberto.*

   1. ¿ Tiene Roberto una guitarra ? 2. ¿ Tiene Roberto un cuarto ? 3. ¿ Tiene Roberto una casa ? 4. ¿ Tiene Roberto un médico ? 5. ¿ Tiene Roberto un maestro ? 6. ¿ Tiene Roberto un hijo ?

1. _____

2. _____

3. _____

4. _____

5. _____

6. _____

J. The use of **aunque . . . somos diferentes**

React to each statement as in the model.

Modelo: Ustedes tienen el mismo acento.
   ***Aunque** tenemos el mismo acento, somos **diferentes**.*

   1. Ustedes hablan el mismo dialecto. 2. Ustedes leen los mismos libros. 3. Ustedes ocupan el mismo cuarto. 4. Ustedes viven en la misma casa.

1. _____

2. _____

3. _____

4. _____

11   Las calles de México

Pronunciación

Listen to the passage. Repeat in the pauses provided. Try to imitate exactly what the speaker says.

Preguntas

A.   Answer each question in a complete sentence. Begin your answer with **sí** or **no.**

1. ¿ Son estrechas la mayoría de las calles mexicanas ? 2. ¿ Son modernas las casas de los barrios viejos ? 3. ¿ Hay jardines alrededor de las casas en los barrios viejos ? 4. Generalmente ¿ hay flores en los patios de las casas mexicanas ? 5. ¿ Hay un patio en cada casa mexicana ?

B.   Answer each question in a complete sentence. Model your answer on the question.

1. ¿ Son estrechas o anchas la mayoría de las calles mexicanas ? 2. ¿ Son modernas o antiguas las casas de los barrios viejos ? 3. ¿ Hay jardines alrededor de las casas en los barrios viejos o en los barrios modernos ? 4. Generalmente ¿ hay flores o árboles en los patios de las casas mexicanas ? 5. ¿ Hay un patio en cada casa mexicana o norteamericana ?

Estructuras

A.   The possessives **su** and **mi**

Answer each question with **mi,** as in the model.

Modelo: ¿ Dónde está su cuarto ?
    *Aquí está **mi** cuarto.*

1. ¿ Dónde está su silla ? 2. ¿ Dónde está su padre ? 3. ¿ Dónde está su hermana ? 4. ¿ Dónde está su madre ? 5. ¿ Dónde están sus flores ? 6. ¿ Dónde están sus libros ? 7. ¿ Dónde están sus amigos ? 8. ¿ Dónde están sus poesías ?

B.   The use of **delante de** and **detrás de**

Reword each sentence as in the model so as to use **detrás de**

Modelo: Hay un jardín delante de la casa.
    *También hay otro **detrás de** la casa.*

1. Hay un espacio delante de la escuela. 2. Hay una señora delante de la tienda. 3. Hay unos niños delante de la puerta. 4. Hay unos estudiantes delante de la escuela. 5. Hay una estatua delante del museo. 6. Hay una fábrica delante de la universidad.

C. From **de usted** to a form of **nuestro**

Answer each question with a form of **nuestro,** as in the model.

Modelo: ¿ Dónde están las flores de ustedes ?
Nuestras flores están en el cuarto.

1. ¿ Dónde están los libros de ustedes ? 2. ¿ Dónde están las guitarras de ustedes ? 3. ¿ Dónde están los amigos de ustedes ? 4. ¿ Dónde están las medicinas de ustedes ? 5. ¿ Dónde está la madre de ustedes ? 6. ¿ Dónde está la silla de ustedes ? 7. ¿ Dónde está el padre de ustedes ? 8. ¿ Dónde está el hijo de ustedes ?

D. The use of **diferente de** with possessive adjectives

Rewrite each sentence as in the model.

Modelo: Mi casa y su casa son diferentes.
*Mi casa es **diferente de** su casa.*

1. Mi médico y su médico son diferentes. 2. Mi amigo y su amigo son diferentes. 3. Mi problema y su problema son diferentes. 4. Mi barrio y su barrio son diferentes. 5. Mi familia y su familia son diferentes. 6. Mi jardín y su jardín son diferentes. 7. Mi maestro y su maestro son diferentes. 8. Mi libro y su libro son diferentes.

1. _____

2. _____

3. _____

4. _____

5. _____

6. _____

7. _____

8. _____

E. The present of **ver**

Rewrite each sentence, substituting the indicated subject.

Modelo: Carlos nunca ve películas. (José y Felipe)
*José y Felipe nunca **ven** películas.*

1. usted   2. nosotros   3. ustedes   4. yo   5. Carlos y yo   6. los estudiantes   7. usted y Felipe   8. el señor García

1. _____

2. _____

3. _____

4. _____

5. _____

6. _____

7. _____

8. _____

F. The possessives **mi** and **mis**

Rewrite each sentence, changing **mi** to **mis** and making other necessary changes.

Modelo: Hablo con mi amigo.
      *Hablo con **mis amigos.***

    1. Estudio con mi hermana. 2. Vendo mi casa. 3. Cultivo mi terreno. 4. Estudio mi lección. 5. Escribo a mi estudiante. 6. Cuido mi pájaro. 7. Explico mi verso. 8. Busco mi libro.

1. _____

2. _____

3. _____

4. _____

5. _____

6. _____

7. _____

8. _____

G. The possessives **nuestro** and **nuestros**

Rewrite each sentence with the correct plural form of **nuestro** and make other necessary changes.

Modelo: Nuestro hermano es práctico.
      Nuestros hermanos son prácticos.

    1. Nuestra casa es grande. 2. Nuestro amigo es mexicano. 3. Nuestro cuarto es diferente. 4. Nuestra guitarra es antigua. 5. Nuestro libro es moderno. 6. Nuestra hermana es rica. 7. Nuestra clase es interesante. 8. Nuestro país es pobre.

1. _____

2. _____

3. _____

4. _____

5. _____

6. _____

7. _____

8. _____

H. The present of **decir**

Rewrite each sentence, substituting the indicated subject.

Modelo: Los estudiantes nunca dicen nada delante de Felipe. (Carlos)
Carlos nunca dice nada delante de Felipe.

1. ustedes   2. yo   3. nosotros   4. el señor   5. José y Carlos   6. José y yo   7. la señora
8. el maestro y el médico

1. _____

2. _____

3. _____

4. _____

5. _____

6. _____

7. _____

8. _____

12 El amo de la casa

Pronunciación

Listen to the passage. Repeat in the pauses provided. Try to imitate exactly what the speaker says.

Preguntas

A. Answer each question in a complete sentence. Begin your answer with **sí** or **no.**

1. ¿ Cuesta mucho tener criadas en México ? 2. ¿ Tienen criadas los ricos en México ? 3. Según la tradición española ¿ manda la mujer en casa ? 4. En México ¿ prepara las comidas el marido ? 5. ¿ Tiene la mujer mexicana más tiempo que la mujer norteamericana ?

B. Answer each question in a complete sentence. Model your answer on the question.

1. ¿ Cuesta mucho o poco tener criadas en México ? 2. ¿ Tienen criadas los ricos o los pobres en México ? 3. Según la tradición española ¿ manda la mujer o el marido en casa ? 4. En México ¿ prepara las comidas el marido o la esposa ? 5. ¿ Tiene la mujer mexicana más o menos tiempo que la mujer norteamericana ?

Estructuras

A. Present of the verb **poder**

Repeat each sentence, substituting the indicated subject.

Modelo: Carlos no puede salir ahora. (los turistas)
*Los turistas no **pueden** salir ahora.*

1. yo   2. ustedes   3. Roberto   4. Roberto y Carlos   5. usted y yo   6. los estudiantes

B. Radical-changing verbs in **–ir**

Repeat each sentence, substituting the indicated subject.

Modelo: Él siempre pide permiso para salir. (ellos)
*Ellos siempre **piden** permiso para salir.*

1. José   2. yo   3. nosotros   4. Carlos y Felipe   5. Felipe y yo   6. ustedes

C. Adjectives of nationality—singular

Repeat, substituting the indicated noun.

Modelo: Es un hotel francés. (escuela)
*Es una escuela **francesa.***

1. estudiante   2. ciudad   3. tradición   4. barrio   5. médico   6. criada

D. Adjectives of nationality—plural

Rewrite each sentence, substituting the indicated noun.

Modelo: Son jardines ingleses. (maestros)
  Son maestros ingleses.

  1. fábricas   2. ingenieros   3. familias   4. estudiantes   5. criadas   6. máquinas

1. _____

2. _____

3. _____

4. _____

5. _____

6. _____

E. Adjectives used as nouns

Rewrite each sentence, using the adjective as the subject.

Modelo: Los hombres ricos trabajan mucho.
  Los ricos trabajan mucho.

  1. Los obreros pobres trabajan mucho. 2. Las criadas indias trabajan mucho. 3. El señor norteamericano trabaja mucho. 4. El médico viejo trabaja mucho. 5. Las señoras mexicanas trabajan mucho. 6. Los maestros españoles trabajan mucho.

1. _____

2. _____

3. _____

4. _____

5. _____

6. _____

F. Radical-changing verbs in **–ar**

Rewrite each sentence, substituting the indicated subject.

Modelo: Carlos nunca cierra la puerta. (mis amigos)
  Mis amigos nunca cierran la puerta.

  1. usted   2. nosotros   3. ustedes   4. yo   5. ellos   6. él   7. usted y yo   8. José y Roberto

1. _____

2. _____

3. _____

4. _____

5. _____

6. _____

7. _____

8. _____

G. Radical-changing verbs in **–ar**

Rewrite each sentence, substituting the indicated subject.

Modelo: Roberto y yo comenzamos a estudiar. (José)
  José comienza a estudiar.

  1. usted   2. yo   3. nosotros   4. ustedes   5. usted y yo   6. ella

1. _____

2. _____

3. _____

4. _____

5. _____

6. _____

H. Radical-changing verbs in **–er**

Rewrite each sentence, substituting the indicated subject.

Modelo: La señorita vuelve a Monterrey. (Carlos y Felipe)
  Carlos y Felipe vuelven a Monterrey.

  1. ella   2. ellas   3. ustedes   4. yo   5. nosotros   6. el médico

1. _____

2. _____

3. _____

4. _____

5. _____

6. _____

I. Radical-changing verbs in **–ir**

Rewrite each sentence, substituting the indicated subject.

Modelo: Usted y Carlos no duermen en casa. (usted y yo)

*Usted y yo no **dormimos** en casa.*

1. yo   2. usted   3. nosotros   4. ella   5. él y yo   6. los estudiantes

1. _____

2. _____

3. _____

4. _____

5. _____

6. _____

Dictado

Listen carefully to the recording. You will hear a series of sentences. Each sentence is followed by a pause to give you time to write it. Each sentence will be read twice. In the pause that follows the first reading, write as much of the sentence as you can. In the pause that follows the second reading, complete the sentence.

At the end of the dictation, the complete group of sentences will be read without pauses. This will give you an opportunity to check your copy.

_____

_____

_____

_____

_____

_____

_____

_____

_____

_____

_____

_____

13 Las horas de las clases

Pronunciación

Listen to the passage. Repeat in the pauses provided. Try to imitate exactly what the speaker says.

Preguntas

A. Answer each question in a complete sentence. Begin your answer with **sí** or **no.**

1. ¿ Tienen que levantarse temprano los estudiantes cuando tienen clases por la mañana ? 2. ¿ Se levanta usted cansado cuando se acuesta a las tres de la mañana ? 3. En Filosofía y Letras ¿ hay muchas clases por la noche ? 4. ¿ Duerme usted generalmente durante el día ? 5. ¿ Tienen prácticas de laboratorio los estudiantes de medicina ?

B. Answer each question in a complete sentence. Model your answer on the questions.

1. ¿ Tienen que levantarse temprano los estudiantes cuando tienen clases por la mañana o por la tarde ? 2. ¿ Se levanta usted cansado cuando se acuesta a las tres de la mañana o a las diez de la noche ? 3. En Filosofía y Letras ¿ hay muchas clases por la mañana o por la noche ? 4. ¿ Duerme usted generalmente durante el día o durante la noche ? 5. ¿ Tienen prácticas de laboratorio los estudiantes de medicina o los estudiantes de filosofía ?

Estructuras

A. Reflexive verbs: **yo—usted**

Repeat as in the model.

Modelo: Yo nunca me divierto por la noche.
> *¡ Cómo no ! Usted siempre se **divierte** por la noche.*

1. Yo nunca me levanto a las ocho. 2. Yo nunca me siento en el jardín. 3. Yo nunca me acuesto a las once. 4. Yo nunca me duermo en la clase. 5. Yo nunca me despierto tarde.

B. Exclamations

Repeat each statement as an exclamation.

Modelo: Él está muy cansado.
> *¡ Qué cansado está !*

1. Él está muy elegante. 2. Él está muy pobre. 3. Él está muy rico. 4. Él está muy sombrío. 5. Él está muy cómodo.

C. para + infinitive

Answer each question, using **para** + infinitive as in the model.

Modelo: ¿ Por qué trabaja usted tanto ?
*Porque estoy aquí **para trabajar.***

1. ¿ Por qué estudia usted tanto ? 2. ¿ Por qué lee usted tanto ? 3. ¿ Por qué escribe usted tanto ? 4. ¿ Por qué vende usted tanto ? 5. ¿ Por qué pregunta usted tanto ?

D. Present of the ordinary reflexive verb in –ir

Rewrite each sentence, substituting the indicated subject.

Modelo: Mi amigo se decide a tomar el cuarto. (los turistas)
*Los turistas **se deciden** a tomar el cuarto.*

1. ustedes   2. yo   3. usted   4. sus amigos   5. mi padre y yo   6. nosotros   7. sus hermanos 8. Carlos y usted

1. _____

2. _____

3. _____

4. _____

5. _____

6. _____

7. _____

8. _____

E. Present of the radical-changing reflexive verb in –ar

Rewrite each sentence, substituting the indicated subject.

Modelo: Por la tarde Roberto se sienta en el jardín. (los estudiantes)
*Por la tarde los estudiantes **se sientan** en el jardín.*

1. nosotros   2. yo   3. usted   4. ustedes   5. ellos   6. la familia   7. mi hermano y yo 8. usted y su padre

1. _____

2. _____

3. _____

4. _____

5. _____

6. _____

7. _____

8. _____

F. Present of the radical-changing reflexive verb in –ar

Rewrite each sentence, substituting the indicated subject.

Modelo: Los niños se acuestan muy temprano. (usted)

Usted se acuesta muy temprano.

1. el médico   2. yo   3. ustedes   4. nosotros   5. nuestra familia   6. los campesinos   7. el maestro   8. ellos   9. Carlos y yo

1. _____

2. _____

3. _____

4. _____

5. _____

6. _____

7. _____

8. _____

9. _____

G. Present of the ordinary reflexive verb in –ar

Rewrite each sentence, substituting the indicated subject.

Modelo: Los señores se levantan a las seis. (el obrero)

El obrero se levanta a las seis.

1. Carlos   2. los campesinos   3. yo   4. ustedes   5. los maestros   6. usted   7. nosotros 8. Felipe y yo   9. nuestra familia

1. _____

2. _____

3. _____

4. _____

5. _____

6. _____

7. _____

8. _____

9. _____

H. Reflexive verbs: **ustedes—nosotros**

Write the answer to each question with **nosotros,** as in the model.

Modelo: ¿ Se acuestan ustedes a las ocho ?
Sí, nos acostamos a las ocho.

1. ¿ Se deciden ustedes a tomar el cuarto ? 2. ¿ Se duermen ustedes en el laboratorio ? 3. ¿ Se levantan ustedes temprano ? 4. ¿ Se sientan ustedes en el patio ? 5. ¿ Se despiertan ustedes a las seis ? 6. ¿ Se divierten ustedes aquí ?

1. _____

2. _____

3. _____

4. _____

5. _____

6. _____

14   El clima

Pronunciación

Listen to the passage. Repeat in the pauses provided. Try to imitate exactly what the speaker says.

Preguntas

A.   Answer each question in a complete sentence. Begin your answer with **sí** or **no**.

1. ¿ Hay cuatro estaciones en el año ? 2. ¿ Hace calor en verano ? 3. En México ¿ empiezan las lluvias en otoño ? 4. ¿ Es tropical el clima de la meseta central ? 5. En la capital ¿ se necesita abrigo de día ?

B.   Answer each question in a complete sentence. Model your answer on the questions.

1. ¿ Hay tres o cuatro estaciones en el año ? 2. ¿ Hace frío o calor en verano ? 3. En México ¿ empiezan las lluvias en otoño o en primavera ? 4. ¿ Es tropical o templado el clima de la meseta central ? 5. En la capital ¿ se necesita abrigo de día o de noche ?

Estructuras

A.   hace + expressions of weather

Answer each question, incorporating the word in parentheses.

Modelo: ¿ Qué tiempo hace en primavera ? (fresco)
   En primavera hace fresco.

1. ¿ Qué tiempo hace en invierno ? (frío) 2. ¿ Qué tiempo hace en marzo ? (buen tiempo) 3. ¿ Qué tiempo hace en verano ? (calor) 4. ¿ Qué tiempo hace en enero ? (mucho frío) 5. ¿ Qué tiempo hace en otoño ? (viento) 6. ¿ Qué tiempo hace en julio ? (sol)

B.   Impersonal verbs of weather

Answer each question as in the model.

Modelo: ¿ En qué mes hace mucho calor ? (agosto)
   Hace mucho calor en agosto.

1. ¿ En qué mes llueve mucho ? (septiembre) 2. ¿ En qué mes nieva mucho ? (enero) 3. ¿ En qué mes hace mucho frío ? (febrero) 4. ¿ En qué mes hace fresco ? (abril) 5. ¿ En qué mes llueve poco ? (octubre) 6. ¿ En qué mes hace viento ? (marzo) 7. ¿ En qué mes nieva poco ? (noviembre) 8. ¿ En qué mes hace buen tiempo ? (mayo)

C. The expression **ponerse un abrigo**

Rewrite each sentence, substituting the indicated subject.

Modelo: La señora se pone un abrigo para salir. (los niños)
    *Los niños se **ponen** un abrigo para salir.*

    1. usted 2. ustedes 3. yo 4. Carlos 5. nosotros 6. las criadas 7. usted y yo 8. usted y Felipe

1. _____

2. _____

3. _____

4. _____

5. _____

6. _____

7. _____

8. _____

D. allí–aquí–casi nunca

Rewrite each sentence as in the model.

Modelo: Allí hace frío siempre.
    *Pues **aquí casi nunca** hace frío.*

    1. Allí llueve siempre. 2. Allí hace calor siempre. 3. Allí nieva siempre. 4. Allí hace sol siempre. 5. Allí hace viento siempre. 6. Allí hace buen tiempo siempre. 7. Allí hace fresco siempre. 8. Allí hace mal tiempo siempre.

1. _____

2. _____

3. _____

4. _____

5. _____

6. _____

7. _____

8. _____

15 El taxi

Pronunciación

Listen to the passage. Repeat in the pauses provided. Try to imitate exactly what the speaker says.

Preguntas

A. Answer each question in a complete sentence. Begin your answer with **sí** or **no.**

1. En México ¿ es costumbre cenar a las seis de la tarde ? 2. ¿ Tiene uno que pagar la cuenta del hotel antes de marcharse ? 3. En México ¿ cuestan los taxis mucho ? 4. ¿ Es difícil subir a un camión con muchas maletas ? 5. Cuando uno tiene prisa ¿ toma un taxi ?

B. Answer each question in a complete sentence. Model your answer on the questions.

1. En México, ¿ es costumbre cenar a las seis de la tarde o a las ocho de la noche ? 2. ¿ Tiene uno que pagar la cuenta del hotel antes o después de marcharse ? 3. En México ¿ cuestan los taxis mucho o poco ? 4. ¿ Es difícil o es fácil subir a un camión con muchas maletas ? 5. Cuando uno tiene prisa ¿ toma un taxi o un camión ?

Estructuras

A. Use of **lo**

Repeat each sentence, substituting the pronoun object **lo**.

Modelo: Roberto ve a su amigo.
    Roberto lo ve.

1. el taxi   2. al profesor   3. a su padre   4. el coche   5. el libro   6. al maestro   7. el cuarto   8. a su médico

B. Use of various object pronouns in answers

Answer each question negatively with a pronoun object.

Modelo: ¿ Encuentra usted el trabajo ?
    No, no lo encuentro.

1. ¿ Encuentra usted los coches ? 2. ¿ Encuentra usted la carta ? 3. ¿ Encuentra usted las oficinas ? 4. ¿ Encuentra usted el cuarto ? 5. ¿ Encuentra usted las maletas ? 6. ¿ Encuentra usted la película ? 7. ¿ Encuentra usted los abrigos ? 8. ¿ Encuentra usted el comedor ?

C. The use of **después de** + infinitive

Answer each question as in the model, using **después de.**

Modelo: ¿ Usted trabaja a las ocho ?
    Sí, y después de trabajar, estudio.

1. ¿ Usted cena a las ocho ? 2. ¿ Usted baja a las ocho ? 3. ¿ Usted llega a las ocho ? 4. ¿ Usted vuelve a las ocho ? 5. ¿ Usted sale a las ocho ? 6. ¿ Usted sube a las ocho ?

D. The use of **antes de** + infinitive

Answer each question as in the model, using **antes de.**

Modelo: ¿ Quiere usted estudiar ahora ?
   Antes de estudiar, tengo que comer algo.

1. ¿ Quiere usted salir ahora ? 2. ¿ Quiere usted trabajar ahora ? 3. ¿ Quiere usted cantar ahora ? 4. ¿ Quiere usted empezar ahora ? 5. ¿ Quiere usted subir ahora ? 6. ¿ Quiere usted leer ahora ?

E. Things as direct object pronouns

Rewrite each sentence, changing the direct object to a pronoun.

Modelo: Roberto encuentra la casa.
   Roberto la encuentra.

1. Roberto encuentra el libro. 2. Roberto encuentra las maletas. 3. Roberto encuentra los abrigos. 4. Roberto encuentra el hotel. 5. Roberto encuentra las cartas. 6. Roberto encuentra la oficina. 7. Roberto encuentra la calle. 8. Roberto encuentra los jardines.

1. _____   5. _____

2. _____   6. _____

3. _____   7. _____

4. _____   8. _____

F. Persons as direct object pronouns

Rewrite each sentence, changing the direct object to a pronoun.

Modelo: Felipe llama a su amigo.
   Felipe lo llama.

1. Felipe llama a sus hermanos. 2. Felipe llama a su padre. 3. Felipe llama a su maestro. 4. Felipe llama a su esposa. 5. Felipe llama a sus criadas. 6. Felipe llama a sus amigos. 7. Felipe llama a su médico. 8. Felipe llama a su hermana.

1. _____   5. _____

2. _____   6. _____

3. _____   7. _____

4. _____   8. _____

16 La plaza de toros

Pronunciación

Listen to the passage. Repeat in the pauses provided. Try to imitate exactly what the speaker says.

Preguntas

A. Answer each question with a complete sentence. Begin your answer with **sí** or **no**.

1. ¿ Hay corridas de toros en todos los países hispanoamericanos ? 2. ¿ Va la gente a los toros por la mañana ? 3. ¿ Es grande la plaza de toros de México ? 4. ¿ Matan seis toros cada domingo ? 5. Por lo general ¿ va la gente a los toros los domingos ?

B. Answer each question in a complete sentence. Model your answer on the question.

1. ¿ Hay corridas de toros en todos los países hispanoamericanos o solamente en una parte de los países hispanoamericanos ? 2. ¿ Va la gente a los toros por la mañana o por la tarde ? 3. ¿ Es grande o pequeña la plaza de toros de México ? 4. ¿ Matan dos o seis toros cada domingo ? 5. Por lo general ¿ va la gente a los toros los sábados o los domingos ?

Estructuras

A. le—les

Change the noun indirect object to a pronoun indirect object.

Modelo: Hablo a Felipe.
   Le hablo.

1. Hablo a mi amigo. 2. Hablo a mis amigos. 3. Hablo a la señora. 4. Hablo a las señoritas. 5. Hablo al médico. 6. Hablo a los campesinos. 7. Hablo a su padre. 8. Hablo a los profesores.

B. le—les + direct noun object

Change the noun indirect object to a pronoun indirect object.

Modelo: El joven entrega quince pesos al boletero.
   El joven le entrega quince pesos.

1. El joven entrega quince pesos a su amigo. 2. El joven entrega quince pesos a los niños. 3. El joven entrega quince pesos a la señora. 4. El joven entrega quince pesos a la señorita. 5. El joven entrega quince pesos a su hermano. 6. El joven entrega quince pesos al señor. 7. El joven entrega quince pesos a los estudiantes. 8. El joven entrega quince pesos al médico.

C. The redundant pronoun indirect object with **usted** and **ustedes**

Write the answer to each question with **usted** or **ustedes,** as in the model.

Modelo: ¿ A quién da Roberto el dinero ?
  *Le da el dinero **a usted.***

1. ¿ A quién da Roberto el cuarto ? 2. ¿ A quién da Roberto la carta ? 3. A quién da Roberto la lección ? 4. ¿ A quiénes da Roberto los asientos ? 5. ¿ A quiénes da Roberto las flores ? 6. ¿ A quiénes da Roberto los abrigos ? 7. ¿ A quién da Roberto el trabajo ? 8. ¿ A quiénes da Roberto los boletos ?

1. _____

2. _____

3. _____

4. _____

5. _____

6. _____

7. _____

8. _____

D. Numbers

Add three to the number given. Spell it out.

Modelo: cuatro
  siete

1. seis   2. ocho   3. dos   4. cinco   5. siete   6. uno   7. tres   8. nueve

1. _____   5. _____

2. _____   6. _____

3. _____   7. _____

4. _____   8. _____

E. The redundant pronoun indirect object

Rewrite each sentence so as to include both pronoun and indirect object.

Modelo: Mi amigo paga al chofer.
  *Mi amigo **le** paga al chofer.*

1. Mi amigo paga al profesor. 2. Mi amigo paga al boletero. 3. Mi amigo paga a la señora. 4. Mi amigo paga a los estudiantes. 5. Mi amigo paga a las criadas. 6. Mi amigo paga a las señoritas.

1. _____

2. _____

3. _____

4. _____

5. _____

6. _____

F.   The present of **ir**

Rewrite each sentence, substituting the indicated subject.

Modelo: Felipe no va a la corrida. (las señoras)
   *Las señoras no **van** a la corrida.*

   1. usted   2. yo   3. nosotros   4. ustedes   5. Roberto y Carlos   6. la señorita   7. el señor y usted   8. usted y yo.

1. _____

2. _____

3. _____

4. _____

5. _____

6. _____

7. _____

8. _____

G.   The present of **saber**

Rewrite each sentence, substituting the indicated subject.

Modelo: El obrero sabe dónde está su casa. (mis hermanos)
   *Mis hermanos **saben** dónde está su casa.*

   1. su amigo   2. el señor y la señora   3. yo   4. nosotros   5. usted   6. ustedes   7. él   8. ella y yo

1. _____

2. _____

3. _____

4. _____

5. _____

6. _____

7. _____

8. _____

H. The indirect interrogative sentence

Rewrite each sentence as an indirect question according to the model.

Modelo: Carlos, ¿ quiere usted boletos de sombra ?
    Le pregunto a Carlos si quiere boletos de sombra.

1. Carlos, ¿ va usted a la ciudad ? 2. Carlos, ¿ quiere ver usted la corrida ? 3. Carlos, ¿ acepta usted la invitación ? 4. Carlos, ¿ insiste usted en pagar ? 5. Carlos, ¿ espera usted a José ? 6. Carlos, ¿ se sienta usted al sol ?

1. _____

2. _____

3. _____

4. _____

5. _____

6. _____

17 Los deportes

Pronunciación

Repeat lines 1–18 (read with pauses); listen to lines 19–27 (read without pauses).

Preguntas

A. Answer each question with a complete sentence. Begin your answer with **sí** or **no.**

1. ¿ Les gustan las corridas de toros a todos los mexicanos ? 2. ¿ Es un deporte la corrida de toros ? 3. ¿ Es fácil el arte de los toros ? 4. ¿ Es el béisbol un deporte norteamericano ? 5. Por lo general ¿ mata el toro al torero ?

B. Answer each question in a complete sentence. Model your answer on the question.

1. ¿ Les gustan las corridas de toros a todos los mexicanos o solamente a algunos mexicanos ? 2. ¿ Es un deporte o un espectáculo la corrida de toros ? 3. ¿ Es fácil o difícil el arte de los toros ? 4. ¿ Es el béisbol un deporte norteamericano o mexicano ? 5. Por lo general ¿ mata el toro al torero o el torero al toro ?

Estructuras

A. me gusta

Repeat each sentence, substituting the indicated noun.

Modelo: Me gusta mucho esta película. (libros)
> *Me **gustan** mucho estos libros.*

1. naranjas   2. fiesta   3. espectáculos   4. cuarto   5. toreros   6. deporte   7. maletas   8. corrida

B. no me gusta + infinitive

Answer each question with **no me gusta,** as in the model.

Modelo: ¿ Por qué no escribe usted ?
> *Porque no me gusta escribir.*

1. ¿ Por qué no lee usted ? 2. ¿ Por qué no camina usted ? 3. ¿ Por qué no pregunta usted ? 4. ¿ Por qué no contesta usted ? 5. ¿ Por qué no espera usted ? 6. ¿ Por qué no trabaja usted ? 7. ¿ Por qué no canta usted ? 8. ¿ Por qué no estudia usted ?

C. The use of the verb **parecer**

Answer each question with **A mí me parecen . . .**

Modelo: ¿ Son diferentes estos libros ?
A mí me parecen diferentes.

1. ¿ Son prácticos estos señores ? 2. ¿ Son modernas estas escuelas ? 3. ¿ Son inmensos estos edificios ? 4. ¿ Son mexicanas estas señoras ? 5. ¿ Son famosos estos profesores ? 6. ¿ Son montañosas estas regiones ? 7. ¿ Son estrechas estas calles ? 8. ¿ Son viejos estos barrios ?

D. **me** + third-person object

Repeat each sentence, replacing the noun direct object by a pronoun object.

Modelo: Roberto me enseña el libro.
Roberto me lo enseña.

1. Roberto me enseña la carta. 2. Roberto me enseña los toros. 3. Roberto me enseña el asiento. 4. Roberto me enseña las casas. 5. Roberto me enseña el cuarto. 6. Roberto me enseña la maleta. 7. Roberto me enseña los exámenes. 8. Roberto me enseña las frutas.

E. **nos** + third-person object

Rewrite each question, changing the direct noun object to a pronoun object.

Modelo: ¿ Usted nos da la naranja ?
¿ Usted nos la da ?

1. ¿ Usted nos da el coche ? 2. ¿ Usted nos da la casa ? 3. ¿ Usted nos da el trabajo ? 4. ¿ Usted nos da el abrigo ? 5. ¿ Usted nos da las flores ? 6. ¿ Usted nos da los pájaros ? 7. ¿ Usted nos da la medicina ? 8. ¿ Usted nos da el dinero ?

1. _____   5. _____

2. _____   6. _____

3. _____   7. _____

4. _____   8. _____

F. Two third-person objects

Write each sentence, changing the noun indirect object to a pronoun indirect object, and make the necessary changes.

Modelo: Leo la carta a José.
Se la leo.

1. Leo las poesías a José. 2. Leo el trabajo a José. 3. Leo los libros a José. 4. Leo la historia a José. 5. Leo el artículo a José. 6. Leo las palabras a José. 7. Leo los versos a José. 8. Leo la invitación a José.

1. _____   5. _____

2. _____   6. _____

3. _____   7. _____

4. _____   8. _____

18   El «mañana»

Pronunciación

Listen to lines 1–8 (read without pauses); repeat lines 9–26 (read with pauses); listen to lines 27–31 (read without pauses).

Preguntas

A.   Answer each question with a complete sentence. Begin each answer with **sí** or **no**.

1. Generalmente ¿ son puntuales todos los mexicanos ? 2. ¿ Hay veinticuatro horas en cada día ? 3. ¿ Hay cincuenta semanas en un año ? 4. ¿ Hay trescientos sesenta días en un año ? 5. Al mediodía ¿ tienen los norteamericanos media hora para almorzar ?

B.   Answer each question in a complete sentence. Model your answer on the question.

1. Generalmente ¿ son puntuales todos los mexicanos o algunos mexicanos ? 2. ¿ Hay veintidós o veinticuatro horas en cada día ? 3. ¿ Hay cincuenta o cincuenta y dos semanas en un año ? 4. ¿ Hay trescientos sesenta o trescientos sesenta y cinco días en un año ? 5. Al mediodía ¿ tienen los norteamericanos dos horas o media hora para almorzar ?

Estructuras

A.   The days of the week

Answer each question as in the model.

Modelo: ¿ Hay clases el viernes ?
*El viernes no, pero **el jueves** sí.*

1. ¿ Hay clases el martes ? 2. ¿ Hay clases el jueves ? 3. ¿ Hay clases el sábado ? 4. ¿ Hay clases el miércoles ? 5. ¿ Hay clases el domingo ? 6. ¿ Hay clases el lunes ?

B.   The use of **Sí, ya son** with time expressions

Answer each question as in the model.

Modelo: ¿ Qué hora es ? ¿ Las doce ?
***Sí, ya son** las doce.*

1. ¿ Qué hora es ? ¿ Las tres ?   2. ¿ Qué hora es ? ¿ Las siete ?   3. ¿ Qué hora es ? ¿ Las once ?   4. ¿ Qué hora es ? ¿ Las dos ?   5. ¿ Qué hora es ? ¿ Las seis ?   6. ¿ Qué hora es ? ¿ Las diez ?   7. ¿ Qué hora es ? ¿ Las cuatro ?   8. ¿ Qué hora es ? ¿ La una ?

C. The use of **y media** in time expressions

Answer each question negatively as in the model.

Modelo: ¿ Ya son las siete ?
No, son las siete y media.

1. ¿ Ya son las once ? 2. ¿ Ya son las seis ? 3. ¿ Ya son las diez ? 4. ¿ Ya son las cinco ? 5. ¿ Ya son las nueve ? 6. ¿ Ya son las cuatro ? 7. ¿ Ya son las ocho ? 8. ¿ Ya es la una ?

D. The use of **menos cuarto** in time expressions

Answer each question as in the model.

Modelo: ¿ A qué hora vuelve usted ? ¿ A las cinco ?
No, vuelvo a las cinco menos cuarto.

1. ¿ A qué hora vuelve usted ? ¿ A las siete ? 2. ¿ A qué hora vuelve usted ? ¿ A las nueve ? 3. ¿ A qué hora vuelve usted ? ¿ A las once ? 4. ¿ A qué hora vuelve usted ? ¿ A las cuatro ? 5. ¿ A qué hora vuelve usted ? ¿ A las seis ? 6. ¿ A qué hora vuelve usted ? ¿ A las ocho ? 7. ¿ A qué hora vuelve usted ? ¿ A las diez ? 8. ¿ A qué hora vuelve usted ? ¿ A la una ?

E. The days of the week

Answer each question as in the model

Modelo: ¿ Usted viene el martes ?
Sí, vengo todos los martes y miércoles.

1. ¿ Usted viene el lunes ? 2. ¿ Usted viene el miércoles ? 3. ¿ Usted viene el domingo ? 4. ¿ Usted viene el sábado ? 5. ¿ Usted viene el jueves ? 6. ¿ Usted viene el viernes ?

F. The days of the week

React to each statement as in the model.

Modelo: Roberto sale el jueves.
No, sale el miércoles.

1. Roberto sale el lunes. 2. Roberto sale el miércoles. 3. Roberto sale el sábado. 4. Roberto sale el martes. 5. Roberto sale el viernes. 6. Roberto sale el domingo.

G. The use of **todos los días menos** + *a day of the week*

Rewrite each sentence according to the model.

Modelo: ¿ Usted trabaja el domingo ?
Trabajo todos los días menos el domingo.

1. ¿ Usted trabaja el miércoles ? 2. ¿ Usted trabaja el viernes ? 3. ¿ Usted trabaja el lunes ? 4. ¿ Usted trabaja el sábado ? 5. ¿ Usted trabaja el martes ? 6. ¿ Usted trabaja el jueves ?

1. _____

2. _____

3. _____

4. _____

5. _____

6. _____

H. The present of **venir**

Rewrite each sentence, substituting the indicated subject.

Modelo: José viene mañana. (los estudiantes)
*Los estudiantes **vienen** mañana.*

1. usted   2. ustedes   3. Roberto   4. nosotros   5. usted y yo   6. ustedes y Roberto   7. la señora   8. yo

1. _____

2. _____

3. _____

4. _____

5. _____

6. _____

7. _____

8. _____

I. Numbers

Add three to each number. Spell out the result.

Modelo: 28
31—treinta y uno

1. 16   2. 943   3. 89   *4.* 37   *5.* 554   *6.* 61   7. 23   *8.* 721

1. _____   5. _____

2. _____   6. _____

3. _____   7. _____

4. _____   8. _____

J. Numbers

Add five to each number. Spell out the result.

Modelo: 15
20—veinte

1. 61   2. 114   3. 35   *4.* 26   *5.* 526   *6.* 20   7. 198   *8.* 77

1. _____   5. _____

2. _____   6. _____

3. _____   7. _____

4. _____   8. _____

K. Numbers

Add ten to each number. Spell out the result.

Modelo: 84
   94—noventa y cuatro

   1. 31   2. 49   3. 809   *4.* 38   *5.* 928   *6.* 57   7. 63   *8.* 216

1. _____   5. _____

2. _____   6. _____

3. _____   7. _____

4. _____   8. _____

Dictado

Listen carefully to the recording. You will hear a series of sentences. Each sentence is followed by a pause to give you time to write it. Each sentence will be read twice. In the pause that follows the first reading, write as much of the sentence as you can. In the pause that follows the second reading, complete the sentence.

At the end of the dictation, the complete group of sentences will be read without pauses. This will give you an opportunity to check your copy.

_____

_____

_____

_____

_____

_____

_____

_____

_____

_____

_____

_____

_____

19   Al sur de la frontera

Pronunciación

Repeat lines 1–18 (read with pauses); listen to lines 19–27 (read without pauses).

Preguntas

A.   Answer each question with a complete sentence. Begin your answer with **sí** or **no.**

1. ¿ Es Laredo una ciudad americana ? 2. En México ¿ se usan pesos mexicanos ? 3. En Nuevo Laredo ¿ se oye hablar español por todas partes ? 4. En los pueblos pequeños de México ¿ se ven muchas casas de adobe ? 5. En la región entre Nuevo Laredo y Monterrey ¿ hay muchos árboles ?

B.   Answer each question in a complete sentence. Model your answer on the question.

1. ¿ Es Laredo una ciudad americana o mexicana ? 2. En México ¿ se usan pesos mexicanos o dólares norteamericanos ? 3. En Nuevo Laredo ¿ se oye hablar español o inglés por todas partes ? 4. En los pueblos pequeños de México ¿ se ven muchas casas de adobe o casas muy elegantes ? 5. En la región entre Nuevo Laredo y Monterrey ¿ hay muchos árboles o nada más que cactus ?

Estructuras

A.   The **usted y yo** forms of –ar verbs in the preterite

Answer each question with the **yo** form of the verb.

Modelo: ¿ Usted habló esta mañana ?
  No, hablé ayer.

1. ¿ Usted terminó esta mañana ? 2. ¿ Usted cantó esta mañana ? 3. ¿ Usted pasó esta mañana ? 4. ¿ Usted enseñó esta mañana ? 5. ¿ Usted llamó esta mañana ? 6. ¿ Usted trabajó esta mañana ?

B.   The **usted y yo** forms of –er and –ir verbs

Answer each question with the **yo** form of the verb.

Modelo: ¿ Usted salió el jueves ?
  No, salí el miércoles.

1. ¿ Usted comió el jueves ? 2. ¿ Usted volvió el jueves ? 3. ¿ Usted escribió el jueves ? 4. ¿ Usted decidió volver el jueves ? 5. ¿ Usted abrió la tienda el jueves ? 6. ¿ Usted insistió en trabajar el jueves ?

C. Third-person singular present to preterite

Write each sentence answering in the preterite.

Modelo: ¿ Cuándo habla el profesor ?
Ya habló por la mañana.

1. ¿ Cuándo termina el profesor ? 2. ¿ Cuándo llega el profesor ? 3. ¿ Cuándo pasa el profesor ? 4. ¿ Cuándo enseña el profesor ? 5. ¿ Cuándo baja el profesor ? 6. ¿ Cuándo llama el profesor ?

1. _____

2. _____

3. _____

4. _____

5. _____

6. _____

D. Preterite: **yo—ellos**

Rewrite each sentence with **ellos,** as in the model.

Modelo: Entré por Nuevo Laredo.
Ellos también **entraron** *por Nuevo Laredo.*

1. Viajé por México. 2. Pasé por la capital. 3. Hablé con Roberto. 4. Bebí mucha agua. 5. Comí en el hotel. 6. Abrí las maletas. 7. Sufrí mucho por el calor.

1. _____

2. _____

3. _____

4. _____

5. _____

6. _____

7. _____

E. Preterite: **nosotros—ustedes**

Rewrite each sentence with **ustedes,** as in the model.

Modelo: Terminamos temprano.
Ustedes también **terminaron** *temprano.*

1. Empezamos puntualmente. 2. Almorzamos en el hotel. 3. Miramos los cuartos. 4. Volvimos en tren. 5. Comprendimos los detalles. 6. Bebimos mucha agua. 7. Salimos con los estudiantes. 8. Decidimos ir a México.

1. _____

2. _____

3. _____

4. _____

5. _____

6. _____

7. _____

8. _____

F. The preterite of **–ar** verbs

Rewrite each sentence, substituting the indicated noun.

Modelo: Los estudiantes pasaron la noche en el hotel. (usted)
*Usted **pasó** la noche en el hotel.*

    1. yo   2. nosotros   3. las señoras   4. Roberto   5. ustedes   6. usted y yo   7. el maestro
8. la señora García y su madre

1. _____

2. _____

3. _____

4. _____

5. _____

6. _____

7. _____

8. _____

G. The preterite of **–er** verbs

Rewrite each sentence, substituting the indicated subject.

Modelo: Ustedes no entendieron nada. (él)
*Él no **entendió** nada.*

    1. las criadas   2. yo   3. la señora   4. usted   5. nosotros   6. usted y yo   7. ellos   8. Carlos

1. _____   5. _____

2. _____   6. _____

3. _____   7. _____

4. _____   8. _____

H. The preterite of –ir verbs

Rewrite each sentence, substituting the indicated subject.

Modelo: Los empleados abrieron las maletas. (usted)
Usted abrió las maletas.

  1. yo 2. las señoras 3. el niño 4. ustedes 5. nosotros 6. ¿ quién ? 7. usted y yo
8. los jóvenes

1. _____ 5. _____

2. _____ 6. _____

3. _____ 7. _____

4. _____ 8. _____

I. The use of **más que uno**

Rewrite each sentence, using **más que uno**.

Modelo: ¿ Contestaron ustedes todas las preguntas ?
*No, no contestamos **más que una.***

  1. ¿ Explicaron ustedes todos los problemas ? 2. ¿ Cerraron ustedes todas las maletas ?
3. ¿ Mandaron ustedes todos los libros ? 4. ¿ Aprendieron ustedes todas las lecciones ? 5. ¿ Comieron ustedes todos los plátanos ? 6. ¿ Entendieron ustedes todas las respuestas ? 7. ¿ Escribieron ustedes todos los ejercicios ? 8. ¿ Abrieron ustedes todas las puertas ?

1. _____

2. _____

3. _____

4. _____

5. _____

6. _____

7. _____

8. _____

20 Monterrey

Pronunciación

Repeat lines 1–14 (read with pauses); listen to lines 15–28 (read without pauses).

Preguntas

A. Answer each question with a complete sentence. Begin your answer with **sí** or **no.**

1. ¿ Se compran timbres en el correo ? 2. En las tiendas de Monterrey ¿ se ven muchas cosas de marca norteamericana ? 3. En las regiones de México de poca altitud ¿ hace frío ? 4. ¿ Se llena el tanque del automóvil con gasolina ? 5. ¿ Se evapora el agua cuando hace mucho frío ?

B. Answer each question in a complete sentence. Model your answer on the question.

1. ¿ Se compran timbres en el correo o en una tienda ? 2. En las tiendas de Monterrey ¿ se ven muchas o pocas cosas de marca norteamericana ? 3. En las regiones de México de poca altitud ¿ hace frío o mucho calor ? 4. ¿ Se llena el tanque del automóvil con gasolina o con aceite ? 5. ¿ Se evapora el agua cuando hace mucho calor o mucho frío ?

Estructuras

A. Irregular preterites: first-person singular to plural

Repeat each sentence, using the **nosotros** form of the preterite.

Modelo: Quise salir por la mañana.
　　　　　Quisimos salir por la mañana.

1. Tuve un examen ayer. 2. Di dinero para la gasolina. 3. Vine muy temprano. 4. Dije la verdad. 5. Traje los boletos. 6. Estuve en el centro. 7. Hice los ejercicios. 8. Pude entrar en el aula.

B. es—fui

Answer each question with **fui,** as in the model.

Modelo: ¿ Es usted campesino ?
　　　　　*Ahora no, pero **fui** campesino en México.*

1. ¿ Es usted mesero ? 2. ¿ Es usted maestro ? 3. ¿ Es usted estudiante ? 4. ¿ Es usted ingeniero ? 5. ¿ Es usted profesor ? 6. ¿ Es usted chofer ? 7. ¿ Es usted torero ? 8. ¿ Es usted empleado ?

C. From the infinitive to the preterite

Answer each question using the preterite of the infinitive in the question.

Modelo: ¿ Quiere usted hacer el trabajo ?
   Ya hice el trabajo.

1. ¿ Quiere usted oír la poesía ? 2. ¿ Quiere usted estar en el cine ? 3. ¿ Quiere usted traer la carta ? 4. ¿ Quiere usted decir las respuestas ? 5. ¿ Quiere usted poner la maleta en el cuarto ? 6. ¿ Quiere usted ir a la corrida ? 7. ¿ Quiere usted dar dinero ? 8. ¿ Quiere usted ser chofer ?

D. Irregular preterites: third-person plural to singular

Write the subject and verb of each sentence in the singular.

Modelo: Las señoras tuvieron que levantarse.
   La señora tuvo que levantarse.

1. Los estudiantes dijeron las respuestas. 2. Los mexicanos trajeron el programa. 3. Las señoritas estuvieron en la plaza ayer. 4. Los empleados hicieron el horario. 5. Las criadas oyeron la música. 6. Los profesores pudieron almorzar en la escuela. 7. Las esposas pusieron los platos en la mesa. 8. Los toreros vinieron muy tarde.

1. _____

2. _____

3. _____

4. _____

5. _____

6. _____

7. _____

8. _____

E. Tense substitution: present—preterite

Write each sentence in the preterite.

Modelo: Traigo los libros.
   Traje los libros.

1. Pongo los libros en el cuarto. 2. Voy con los libros a la clase. 3. Doy los libros a Roberto. 4. Vengo con los libros a casa. 5. Puedo leer los libros en el jardín.

1. _____

2. _____

3. _____

4. _____

5. _____

F. Tense substitution: present—preterite

Write each sentence in the preterite.

Modelo: Voy a la escuela hoy.
   Fui a la escuela ayer.

1. Vengo a la escuela hoy. 2. Estoy en la escuela hoy. 3. Quiero ir a la escuela hoy. 4. Digo el poema en la escuela hoy. 5. Traigo los libros a la escuela hoy. 6. Oigo la música en la escuela hoy. 7. Tengo que ir a la escuela hoy. 8. Doy dinero para gasolina hoy.

1. _____

2. _____

3. _____

4. _____

5. _____

6. _____

7. _____

8. _____

G. Irregular preterites: second-person singular to plural

Rewrite each sentence, using the **ustedes** form of the preterite.

Modelo: Usted puso los libros en la mesa.
   *Ustedes **pusieron** los libros en la mesa.*

1. Usted pudo salir temprano. 2. Usted hizo el trabajo. 3. Usted estuvo en la ciudad. 4. Usted dijo la lección. 5. Usted trajo las flores. 6. Usted vino con muchos platos. 7. Usted dio una vuelta por las calles. 8. Usted tuvo que estudiar mucho. 9. Usted fue en automóvil ayer.

1. _____

2. _____

3. _____

4. _____

5. _____

6. _____

7. _____

8. _____

9. _____

H. From irregular preterite to infinitive

Answer each question, using the infinitive, according to the model.

Modelo: ¿ Por fin volvió usted a la tienda ?
*Sí, **tuve que volver a la tienda**.*

1. ¿ Por fin trajo usted las flores ? 2. ¿ Por fin fue usted a la escuela ? 3. ¿ Por fin hizo usted el trabajo ? 4. ¿ Por fin dijo usted la respuesta ? 5. ¿ Por fin vino usted al hotel ? 6. ¿ Por fin vio usted las fotos ?

1. _____

2. _____

3. _____

4. _____

5. _____

6. _____

I. The use of **hacer** preceded by a pronoun

Answer each question according to the model.

Modelo: ¿ Llegó usted temprano ?
*Sí, mi padre **me hizo llegar** temprano.*

1. ¿ Habló usted español ? 2. ¿ Visitó usted el museo ? 3. ¿ Buscó usted las cartas ? 4. ¿ Subió usted las maletas ? 5. ¿ Compró usted los timbres ? 6. ¿ Llenó usted el tanque ?

1. _____

2. _____

3. _____

4. _____

5. _____

6. _____

21   Rumbo a México

Pronunciación

Repeat lines 1–19 (read with pauses); listen to lines 20–30 (read without pauses).

Preguntas

A.   Answer each question with a complete sentence. Begin your answer with **sí** or **no.**

1. ¿ Hace mucho calor en la región entre Tamazunchale y la capital ? 2. ¿ Entra la luz por las ventanas ? 3. ¿ Van rápido los automóviles cuando la carretera es sinuosa ? 4. ¿ Trabajan los indios dentro de los pueblos ? 5. ¿ Usan sarapes los norteamericanos ?

B.   Answer each question in a complete sentence. Model your answer on the question.

1. ¿ Hace mucho calor o hace fresco en la región entre Tamazunchale y la capital ? 2. ¿ Entra la luz por las ventanas o por la puerta ? 3. ¿ Van rápido o despacio los automóviles cuando la carretera es sinuosa ? 4. ¿ Trabajan los indios dentro de los pueblos o en los campos fuera de los pueblos ? 5. ¿ Usan sarapes los norteamericanos o los mexicanos ?

Estructuras

A.   The imperfect of –ar verbs

Repeat each sentence, substituting the indicated subject.

Modelo: La criada cantaba por la mañana. (los niños)
　　　　　*Los niños **cantaban** por la mañana.*

1. nosotros　2. usted　3. la señora y usted　4. la familia　5. yo　6. ustedes　7. usted y yo 8. mis amigos

B.   The imperfect of –er verbs

Repeat each sentence, substituting the indicated subject.

Modelo: La señora siempre comía en el comedor. (ustedes)
　　　　　*Ustedes siempre **comían** en el comedor.*

1. yo　2. la criada　3. los maestros　4. nosotros　5. usted y la señora　6. mis amigos 7. ella y yo　8. la familia

C. The imperfect of **–ir** verbs

Rewrite each sentence, substituting the indicated subject.

Modelo: Antes yo vivía en la ciudad. (usted)
*Antes usted **vivía** en la ciudad.*

1. ellas   2. nosotros   3. la familia   4. el señor García y su esposa   5. los ricos   6. ella y yo

1. _____

2. _____

3. _____

4. _____

5. _____

6. _____

D. The imperfect of **ser**

Rewrite each sentence, substituting the indicated subject.

Modelo: Mi hermano era maestro. (los señores)
*Los señores **eran** maestros.*

1. usted   2. ustedes   3. yo   4. Roberto   5. mis padres   6. mi hermano y yo   7. ellos
8. nosotros

1. _____

2. _____

3. _____

4. _____

5. _____

6. _____

7. _____

8. _____

E. The imperfect of **ir**

Rewrite each sentence, substituting the indicated subject.

Modelo: Las criadas iban al cine por la tarde. (el niño)
*El niño **iba** al cine por la tarde.*

1. yo   2. nosotros   3. ustedes   4. usted   5. Carlos y José   6. ella   7. ella y él   8. usted
y yo

1. _____

2. _____

64

3. _____

4. _____

5. _____

6. _____

7. _____

8. _____

F. The imperfect of **ver**

Rewrite each sentence, substituting the indicated subject.

Modelo: Carlos nunca veía las corridas. (yo)
          *Yo nunca **veía** las corridas.*

    1. la señora García   2. mis amigos y yo   3. usted   4. ustedes   5. nosotros   6. mi esposa
7. usted y su hermano   8. Carlos y yo

1. _____

2. _____

3. _____

4. _____

5. _____

6. _____

7. _____

8. _____

G. From the present to the imperfect

Give a written response to each statement as in the model.

Modelo: Carlos no está en la escuela ahora.
          *Antes sí **estaba.***

    1. Carlos no canta en la casa ahora. 2. Carlos no llama mucho ahora. 3. Carlos no estudia mucho ahora. 4. Carlos no come en el hotel ahora. 5. Carlos no vive en la ciudad ahora. 6. Carlos no es chofer ahora. 7. Carlos no va al cine ahora. 8. Carlos no ve películas ahora.

1. _____   5. _____

2. _____   6. _____

3. _____   7. _____

4. _____   8. _____

H. The imperfect + the preterite

Write the answer to each question in the imperfect, ending the sentence with . . . **cuando usted llamó.**

Modelo: ¿ Cerró usted la puerta ?
  Cerraba la puerta cuando usted llamó.

1. ¿ Buscó usted el traje ? 2. ¿ Compró usted los boletos ? 3. ¿ Empezó usted los ejercicios ? 4. ¿ Leyó usted el libro ? 5. ¿ Vendió usted el coche ? 6. ¿ Hizo usted el trabajo ? 7. ¿ Escribió usted la carta ? 8. ¿ Oyó usted la música ?

1. _____

2. _____

3. _____

4. _____

5. _____

6. _____

7. _____

8. _____

22 Una lección de anatomía

Pronunciación

Listen to lines 1–10 (read without pauses); repeat lines 11–29 (read with pauses).

Preguntas

A. Answer each question with a complete sentence. Begin your answer with **sí** or **no.**

1. ¿ Tenemos cuarenta dientes en la boca ? 2. ¿ Estudian anatomía los estudiantes de ingeniería ? 3. ¿ Caminamos con los brazos ? 4. ¿ Es ciego el que no puede hablar ? 5. ¿ Vemos con las orejas ?

B. Answer each question in a complete sentence. Model your answer on the question.

1. ¿ Tenemos treinta y dos o cuarenta dientes en la boca ? 2. ¿ Estudian anatomía los estudiantes de ingeniería o de medicina ? 3. ¿ Caminamos con los brazos o con las piernas ? 4. ¿ Es ciego el que no puede hablar o el que no puede ver ? 5. ¿ Vemos con los ojos o con las orejas ?

Estructuras

A. The use of the imperfect and the preterite

Answer each question, placing . . . **cuando Carlos llegó** at the end of the answer.

Modelo: ¿ **Bajó** usted las maletas ?
Bajaba las maletas cuando Carlos llegó.

1. ¿ Entró usted en el patio ? 2. ¿ Buscó usted las cartas ? 3. ¿ Llenó usted el tanque ? 4. ¿ Bebió usted el agua ? 5. ¿ Vio usted la película ? 6. ¿ Leyó usted la historia ? 7. ¿ Escribió usted las palabras ? 8. ¿ Comió usted las naranjas ?

B. The use of the imperfect and the preterite

Answer each question, placing . . . **cuando entró Roberto** at the end of the answer.

Modelo: ¿ Pudieron salir ustedes antes de entrar Roberto ?
Salíamos cuando entró Roberto.

1. ¿ Pudieron comer ustedes antes de entrar Roberto ? 2. ¿ Pudieron estudiar ustedes antes de entrar Roberto ? 3. ¿ Pudieron trabajar ustedes antes de entrar Roberto ? 4. ¿ Pudieron llamar ustedes antes de entrar Roberto ? 5. ¿ Pudieron volver ustedes antes de entrar Roberto ? 6. ¿ Pudieron empezar ustedes antes de entrar Roberto ? 7. ¿ Pudieron terminar ustedes antes de entrar Roberto ? 8. ¿ Pudieron hablar ustedes antes de entrar Roberto ?

C. Two actions taking place simultaneously in the past

React to each statement, placing . . . **mientras nosotros nos divertíamos** at the end.

Modelo: José estudiaba todos los días.
> *Estudiaba mientras nosotros nos divertíamos.*

1. José trabajaba todos los días. 2. José enseñaba todos los días. 3. José escribía todos los días. 4. José leía todos los días. 5. José jugaba todos los días. 6. José dormía todos los días.

D. The use of . . . **el que**

Rewrite each sentence, changing **el hombre** to **el que**

Modelo: El hombre que trabaja gana mucho.
> *El que trabaja gana mucho.*

1. El hombre que estudia aprende. 2. El hombre que lee se divierte. 3. El hombre que sabe puede enseñar. 4. El hombre que compra algo tiene que pagar. 5. El hombre que busca encuentra algo. 6. El hombre que duerme descansa.

1. _____

2. _____

3. _____

4. _____

5. _____

6. _____

E. The use of all forms of **el de**

Write the answer to each question with a form of the demonstrative pronoun **el,** as in the model.

Modelo: ¿ Prefiere usted los libros de Felipe ?
> *No, prefiero los de Carlos.*

1. ¿ Prefiere usted los amigos de Felipe ? 2. ¿ Prefiere usted la silla de Felipe ? 3. ¿ Prefiere usted el cuarto de Felipe ? 4. ¿ Prefiere usted el coche de Felipe ? 5. ¿ Prefiere usted la guitarra de Felipe ? 6. ¿ Prefiere usted los profesores de Felipe ? 7. ¿ Prefiere usted el reloj de Felipe ? 8. ¿ Prefiere usted los poemas de Felipe ?

1. _____

2. _____

3. _____

4. _____

5. _____

6. _____

7. _____

8. _____

23   Los toltecas y los aztecas

Pronunciación

Listen to lines 1–12 (read without pauses); repeat lines 13–32 (read with pauses).

Preguntas

A.   Answer each question with a complete sentence. Begin each answer with **sí** or **no**.

1. ¿ Es más grande la pirámide del Sol que las de Egipto ? 2. ¿ Quedan hoy muchas civilizaciones prehistóricas en México ? 3. ¿ Ocupaban los aztecas el valle de México cuando llegaron los españoles ? 4. ¿ Hay un águila y una serpiente en la bandera de México ? 5. ¿ Llegaron los aztecas a México en el siglo diecinueve ?

B.   Answer each question in a complete sentence. Model your answer on the question.

1. ¿ Es más grande o más pequeña la pirámide del Sol que las de Egipto ? 2. ¿ Quedan hoy muchas o pocas civilizaciones prehistóricas en México ? 3. ¿ Ocupaban los aztecas o los toltecas el valle de México cuando llegaron los españoles ? 4. ¿ Hay un águila y una serpiente o una pirámide en la bandera de México ? 5. ¿ Llegaron los aztecas a México en el siglo doce o en el diecinueve ?

Estructuras

A.   The use of **aquel**

React to each statement as in the model, using a form of **aquel**.

Modelo: Me gusta esta silla.
  *Pues, yo prefiero **aquella silla**.*

1. Me gustan estos árboles. 2. Me gusta este automóvil. 3. Me gusta esta casa. 4. Me gustan estas leyendas. 5. Me gusta esta tienda. 6. Me gustan estos trajes. 7. Me gusta este hotel. 8. Me gustan estas vacas.

B.   The **se** construction

Change each sentence as in the model.

Modelo: Carlos trabaja mucho aquí.
  Se trabaja mucho aquí.

1. Carlos habla mucho aquí. 2. Carlos compra mucho aquí. 3. Carlos estudia mucho aquí. 4. Carlos lee mucho aquí. 5. Carlos vende mucho aquí. 6. Carlos ve mucho aquí. 7. Carlos escribe mucho aquí. 8. Carlos come mucho aquí.

C. The use of **este** and **ese**

React to each statement with **Al contrario** + a form of **ese.**

Modelo: Yo quiero este libro.
> *Al contrario, a mí me gusta ese libro.*

1. Yo quiero estos asientos. 2. Yo quiero esta mesa. 3. Yo quiero este coche. 4. Yo quiero estas flores. 5. Yo quiero esta silla. 6. Yo quiero estos plátanos. 7. Yo quiero este sillón. 8. Yo quiero estas maletas.

D. The use of **eso** and **esto**

Answer each question using **esto** and . . . **porque me gusta.**

Modelo: ¿ Por qué compra usted eso ?
> *Compro esto porque me gusta.*

1. ¿ Por qué estudia usted eso ? 2. ¿ Por qué lee usted eso ? 3. ¿ Por qué mira usted eso ? 4. ¿ Por qué escucha usted eso ? 5. ¿ Por qué escoge usted eso ? 6. ¿ Por qué toma usted eso ? 7. ¿ Por qué dice usted eso ? 8. ¿ Por qué come usted eso ?

E. From the impersonal *they* to the **se** construction

Rewrite each sentence, using the **se** construction.

Modelo: Terminaron el trabajo.
> *Se terminó el trabajo.*

1. Empezaron la lección. 2. Dijeron la leyenda. 3. Interpretaron el símbolo. 4. Explicaron el problema. 5. Interrumpieron la clase. 6. Cultivaron el campo. 7. Contestaron la pregunta. 8. Miraron la película.

1. _____   5. _____

2. _____   6. _____

3. _____   7. _____

4. _____   8. _____

F. The use of **aquel**

Rewrite each sentence as in the model.

Modelo: Esta pirámide es muy grande.
> *Sí, pero **aquella** pirámide a lo lejos es más grande.*

1. Este templo es muy grande. 2. Esta bandera es muy grande. 3. Esta casa es muy grande. 4. Este edificio es muy grande. 5. Este hotel es muy grande. 6. Este valle es muy grande. 7. Esta estatua es muy grande. 8. Este puente es muy grande.

1. _____

2. _____

3. _____

4. _____

5. _____

6. _____

7. _____

8. _____

G. The past participle

Rewrite each sentence with the past participle.

Modelo: Terminé el trabajo.

*El trabajo ya está **terminado**.*

1. Pagué la cuenta. 2. Envié la carta. 3. Ocupé la casa. 4. Mandé el dinero. 5. Compré la silla. 6. Cerré la puerta. 7. Escogí el hotel. 8. Pedí el permiso.

1. _____

2. _____

3. _____

4. _____

5. _____

6. _____

7. _____

8. _____

H. The passive voice

Write each sentence in the passive voice.

Modelo: El maestro explicó la lección.

*La lección **fue explicada** por el maestro.*

1. El maestro explicó la poesía. 2. El maestro explicó la leyenda. 3. El maestro explicó el símbolo. 4. El maestro explicó el ejercicio. 5. El maestro explicó las lecciones. 6. El maestro explicó las materias. 7. El maestro explicó los nombres. 8. El maestro explicó los resultados.

1. _____

2. _____

3. _____

4. _____

5. _____

6. _____

7. _____

8. _____

I. The use of ¿ **Por quién** ... + passive voice

Rewrite each sentence as a question, using ¿ **Por quién** ... + passive voice.

Modelo: Este trabajo fue terminado por el señor.
    ¿ Por quién fue terminado ese trabajo ?

1. Este trabajo fue empezado por los niños. 2. Este trabajo fue leído por la señora. 3. Este trabajo fue interpretado por los estudiantes. 4. Este trabajo fue pagado por el hombre. 5. Este trabajo fue aceptado por los profesores. 6. Este trabajo fue preparado por la señorita.

1. _____

2. _____

3. _____

4. _____

5. _____

6. _____

Dictado

Listen carefully to the recording. You will hear a series of sentences. Each sentence is followed by a pause to give you time to write it. Each sentence will be read twice. In the pause that follows the first reading, write as much of the sentence as you can. In the pause that follows the second reading, complete the sentence.

At the end of the dictation, the complete group of sentences will be read without pauses. This will give you an opportunity to check your copy.

_____

_____

_____

_____

_____

_____

_____

_____

_____

_____

_____

24   La conquista

Pronunciación

Listen to lines 1–8 (read without pauses); repeat lines 9–30 (read with pauses).

Preguntas

A.   Answer each question with a complete sentence. Begin your answer with **sí** or **no.**

1. ¿ Eran los aztecas la tribu más poderosa de México ? 2. ¿ Era Moctezuma el jefe de los aztecas ? 3. ¿ Fundó Cortés Tampico ? 4. ¿ Llegó Cortés a México con un ejército muy grande ? 5. ¿ Murió Moctezuma en una batalla ?

B.   Answer each question in a complete sentence. Model your answer on the question.

1. ¿ Eran los aztecas o los toltecas la tribu más poderosa de México ? 2. ¿ Era Moctezuma o Cortés el jefe de los aztecas ? 3. ¿ Fundó Cortés Tampico o Veracruz ? 4. ¿ Llegó Cortés a México con un ejército muy grande o muy pequeño ? 5. ¿ Murió prisionero Moctezuma o murió en una batalla ?

Estructuras

A.   The preterite of **dormir**

Rewrite each sentence, substituting the indicated subject.

Modelo: Yo dormí muy bien toda la noche. (Carlos)
           *Carlos **durmió** muy bien toda la noche.*

1. nosotros   2. ustedes   3. los estudiantes   4. mi hermano   5. mi hermano y yo   6. las criadas

1. _____

2. _____

3. _____

4. _____

5. _____

6. _____

B. The preterite of **pedir**

Rewrite each sentence, substituting the indicated subject.

Modelo: Carlos pidió el desayuno. (su hijo)
   Su hijo pidió el desayuno.

   1. la familia   2. yo   3. usted   4. nosotros   5. ustedes   6. el profesor y yo

1. _____

2. _____

3. _____

4. _____

5. _____

6. _____

C. The preterite of **servir**

Rewrite each sentence, substituting the indicated subject.

Modelo: La criada sirvió la cena temprano. (ustedes)
   Ustedes sirvieron la cena temprano.

   1. yo   2. las criadas   3. la señora   4. nosotros   5. ella   6. los meseros

1. _____

2. _____

3. _____

4. _____

5. _____

6. _____

D. The preterite of radical-changing verbs: **nosotros—ustedes**

Rewrite each statement with **No, ustedes . . . ,** as in the model.

Modelo: Pedimos la medicina ayer.
   No, ustedes pidieron la medicina el domingo.

   1. Dormimos en el hotel ayer.   2. Servimos la cena ayer.   3. Repetimos la lección ayer.   4. Preferimos llegar ayer.   5. Servimos huevos ayer.

1. _____

2. _____

3. _____

4. _____

5. _____

E. The preterite of **seguir**

Rewrite each sentence, substituting the indicated subject.

Modelo: Los jóvenes siguieron el coche del profesor. (Carlos)
   Carlos siguió el coche del profesor.

   1. yo   2. usted   3. ustedes   4. nosotros   5. Felipe y su esposa

1. _____

2. _____

3. _____

4. _____

5. _____

F. The preterite of **repetir**

Rewrite each sentence, substituting the indicated subject.

Modelo: La señora repitió la misma historia. (ustedes)
   Ustedes repitieron la misma historia.

   1. usted   2. mi hermano   3. yo   4. nosotros   5. José y su padre

1. _____

2. _____

3. _____

4. _____

5. _____

G. The first and third persons singular of the preterite of radical-changing verbs

Write each sentence with **No, usted . . .** , as in the model.

Modelo: Dormí en la sala.
   No, usted no durmió en la sala.

   1. Repetí la lección 2. Pedí los boletos 3. Preferí la guitarra 4. Serví la cena 5. Seguí a los niños
6. Dormí ocho horas

1. _____

2. _____

3. _____

4. _____

5. _____

6. _____

H. The use of **tratar de** + infinitive

Answer each question, using **tratar de** + infinitive, according to the model.

Modelo: ¿ Pidió usted los discos ?
Traté de pedir los discos, pero no pude.

1. ¿ Sirvió usted la cena ? 2. ¿ Durmió usted anoche ? 3. ¿ Repitió usted los ejercicios ? 4. ¿ Vio usted la película ? 5. ¿ Hizo usted la práctica ?

1. _____

2. _____

3. _____

4. _____

5. _____

25   El Zócalo

Pronunciación

Listen to lines 1–21 (read without pauses); repeat lines 22–40 (read with pauses.)

Preguntas

A.   Answer each question with a complete sentence. Begin your answer with **sí** or **no.**

1. ¿ Es una gran plaza la Alameda ? 2. ¿ Está la catedral de México en el Zócalo ? 3. ¿ Es Diego Rivera un ingeniero famoso de México ? 4. En los muros de los edificios públicos de la capital ¿ hay frescos de la vida de hoy ? 5. ¿ Se celebra el Día de la Independencia mexicana el 4 de julio ?

B.   Answer each question in a complete sentence. Model your answer on the question.

1. ¿ Es una gran plaza o un parque la Alameda ? 2. ¿ Está la catedral de México en el Zócalo o en la Alameda ? 3. ¿ Es Diego Rivera un ingeniero o un pintor famoso de México ? 4. En los muros de los edificios públicos de la capital ¿ hay frescos de la vida de hoy o de la historia de México ? 5. ¿ Se celebra el Día de la Independencia mexicana el 4 de julio o el 16 de septiembre ?

Estructuras

A.   The perfect of –ar verbs

Repeat each sentence, substituting the indicated subject.

Modelo: Nosotros ya hemos pintado la casa. (usted)
   Usted ya ha pintado la casa.

1. yo   2. ustedes   3. nosotros   4. Carlos   5. Carlos y Felipe   6. la familia   7. los jóvenes
8. ustedes y yo

B.   The perfect of –er verbs

Repeat each sentence, substituting the indicated subject.

Modelo: Los boleteros han vendido todos los asientos. (yo)
   Yo he vendido todos los asientos.

1. usted   2. ustedes   3. nosotros   4. el dueño   5. las señoras   6. mi hija   7. usted y yo
8. los estudiantes

C.   The perfect of –ir verbs

Repeat each sentence, substituting the indicated subject.

Modelo: Nosotros no hemos recibido la carta todavía. (usted)
   Usted no ha recibido la carta todavía.

1. yo   2. ustedes   3. los soldados   4. su esposa   5. mis amigos   6. nosotros   7. nuestra hermana   8. usted y yo

D. The use of **este** and **aquel**

React to each statement as in the model.

Modelo: Esta mesa es muy pequeña.
Aquélla es más pequeña todavía.

1. Este teatro es muy pequeño. 2. Estas calles son muy pequeñas. 3. Estos parques son muy pequeños. 4. Esta oficina es muy pequeña. 5. Estos edificios son muy pequeños. 6. Estas tiendas son muy pequeñas. 7. Este cuarto es muy pequeño. 8. Esta escuela es muy pequeña.

E. From the preterite to the perfect

Write the answer to each question in the perfect, as in the model.

Modelo: ¿ Ya comió usted ?
No, todavía no he comido.

1. ¿ Ya subió usted ? 2. ¿ Ya leyó usted ? 3. ¿ Ya decidió usted ? 4. ¿ Ya sirvió usted ?

1. _____

2. _____

3. _____

4. _____

F. From the present to the perfect

Write the answer to each question in the perfect, as in the model.

Modelo: ¿ Ustedes trabajan por la noche ?
No, nunca hemos trabajado por la noche.

1. ¿ Ustedes estudian por la noche ? 2. ¿ Ustedes llaman por la noche ? 3. ¿ Ustedes pintan por la noche ? 4. ¿ Ustedes cantan por la noche ?

1. _____

2. _____

3. _____

4. _____

G. From the imperfect to the perfect

Write the answer to each question in the perfect, as in the model.

Modelo: Usted era profesor antes ¿ verdad ?
No, nunca he sido profesor.

1. Usted vivía en la ciudad antes ¿ verdad ? 2. Usted veía a María antes ¿ verdad ? 3. Usted enseñaba español antes ¿ verdad ? 4. Usted estudiaba inglés antes ¿ verdad ?

1. _____

2. _____

3. _____

4. _____

26   Miguel Hidalgo

Pronunciación

Listen to lines 1–14 (read without pauses); repeat lines 15–34 (read with pauses).

Preguntas

A.   Answer each question with a complete sentence. Begin your answer with **sí** or **no**.

1. ¿ Fue México una colonia española durante trescientos años ? 2. ¿ Perdió España su independencia con la invasión de Napoleón ? 3. ¿ Comenzó en mil ochocientos la revolución contra España en México ? 4. ¿ Duró la guerra de independencia de México veinte años ? 5. ¿ Gozaron de privilegios los criollos ?

B.   Answer each question in a complete sentence. Model your answer on the question.

1. ¿ Fue México una colonia española o inglesa durante trescientos años ? 2. ¿ Perdió España su independencia con la invasión de Napoleón o de Cortés ? 3. ¿ Comenzó en 1800 o en 1810 la revolución contra España en México ? 4. ¿ Duró la guerra de independencia de México once años o veinte años ? 5. ¿ Gozaron de privilegios los criollos o los españoles ?

Estructuras

A.   From the preterite to the pluperfect

React to each statement by using the pluperfect. End the sentence with **a principios de aquel año.**

Modelo: Vendieron la casa aquel año.
　　　　*Ya **habían vendido** la casa a principios de aquel año.*

1. Comenzaron a estudiar aquel año. 2. Perdieron mucho dinero aquel año. 3. Entraron en la universidad aquel año. 4. Visitaron la región aquel año. 5. Fundaron la ciudad aquel año. 6. Construyeron el edificio aquel año. 7. Llegaron a la capital aquel año. 8. Aprendieron español aquel año.

B.   From the preterite to the pluperfect

Answer each question, ending the answer with . . . **cuando llegó.**

Modelo: ¿ Entraron ustedes cuando llegó Roberto ?
　　　　*Ya **habíamos entrado** cuando llegó.*

1. ¿ Subieron ustedes cuando llegó Roberto ? 2. ¿ Bajaron ustedes cuando llegó Roberto ? 3. ¿ Salieron ustedes cuando llegó Roberto ? 4. ¿ Comieron ustedes cuando llegó Roberto ? 5. ¿ Almorzaron ustedes cuando llegó Roberto ? 6. ¿ Cenaron ustedes cuando llegó Roberto ? 7. ¿ Cantaron ustedes cuando llegó Roberto ? 8. ¿ Llamaron ustedes cuando llegó Roberto ?

C. The use of **dentro de** + period of time

Answer each question with . . . **dentro de una hora,** as in the model.

Modelo: ¿ Cuándo va a hablar usted ?
  *Empiezo a hablar **dentro de una hora.***

  1. ¿ Cuándo va a trabajar usted ? 2. ¿ Cuándo va a estudiar usted ? 3. ¿ Cuándo va a servir usted ?
4. ¿ Cuándo va a leer usted ? 5. ¿ Cuándo va a escribir usted ? 6. ¿ Cuándo va a cantar usted ?
7. ¿ Cuándo va a jugar usted ? 8. ¿ Cuándo va a pintar usted ?

D. The use of **se llama** and **llamado**

Ask a question based on each statement, as in the model.

Modelo: El ingeniero se llama García.
  *¿ Conoce usted a un ingeniero **llamado García** ?*

  1. El español se llama Carlos. 2. El obrero se llama José. 3. La señora se llama Margarita.
4. El médico se llama Felipe. 5. El profesor se llama García. 6. El torero se llama Domingo. 7. La
señorita se llama Catalina. 8. El norteamericano se llama Roberto.

E. Irregular past participles in the perfect

Write each sentence in the perfect.

Modelo: El soldado murió en la batalla.
  *El soldado **ha muerto** en la batalla.*

  1. Carlos abrió la puerta. 2. Marta dijo la respuesta. 3. Lolita escribió la carta. 4. Felipe hizo
el trabajo.

1. _____

2. _____

3. _____

4. _____

F. From the perfect to the pluperfect

Write each sentence in the pluperfect. End the sentence with . . . **cuando llegó mi hermano.**

Modelo: Hemos visto la película muchas veces.
  ***Habíamos** visto la película cuando llegó mi hermano.*

  1. Hemos leído este libro muchas veces. 2. Hemos dicho el poema muchas veces. 3. Hemos
escrito los ejercicios muchas veces. 4. Hemos hecho el trabajo muchas veces.

1. _____

2. _____

3. _____

4. _____

27 Un viaje al Pacífico

Pronunciación

Repeat lines 1–26 (read with pauses); listen to lines 27–38 (read without pauses).

Preguntas

A. Answer each question with a complete sentence. Begin your answer with **sí** or **no**.

1. ¿ Está Cuernavaca a una hora de México ? 2. ¿ Se fabrican muchos artículos de oro en Taxco ? 3. ¿ Es moderna la arquitectura de Taxco ? 4. ¿ Es la ciudad de Acapulco conocida por sus playas ? 5. ¿ Son modernos los hoteles de Acapulco ?

B. Answer each question in a complete sentence. Model your answer on the question.

1. ¿ Está Cuernavaca o Taxco a una hora de México ? 2. ¿ Se fabrican muchos artículos de oro o de plata en Taxco ? 3. ¿ Es colonial o moderna la arquitectura de Taxco ? 4. ¿ Es la ciudad de Acapulco conocida por sus playas o por los frescos de Diego Rivera ? 5. ¿ Son modernos o antiguos los hoteles de Acapulco ?

Estructuras

A. Affirmative commands: –ar verbs

Change each statement so that it is a command.

Modelo: Carlos mira la fotografía.
         *Carlos, **mire usted** la fotografía.*

1. Carlos pinta la oficina. 2. Carlos visita el museo. 3. Carlos compra regalos. 4. Carlos nada en la playa. 5. Carlos toma el sol. 6. Carlos habla rápidamente. 7. Carlos escucha la música. 8. Carlos entra en el patio.

B. Affirmative commands: irregular verbs

Change each statement so that it is an affirmative command.

Modelo: Yo no traigo el regalo.
         ***Traiga usted** el regalo.*

1. Yo no oigo el discurso. 2. Yo no salgo de noche. 3. Yo no digo la verdad. 4. Yo no vengo mañana. 5. Yo no hago el trabajo. 6. Yo no tengo miedo del toro.

C. Commands with noun direct objects

Rewrite each sentence, changing each noun object to a pronoun object.

Modelo: Mire usted el programa.
Mírelo usted.

1. Escuche usted los discursos. 2. Escriba usted las cartas. 3. Cierren ustedes la puerta. 4. Sirva usted el desayuno. 5. Digan ustedes los resultados. 6. Hagan ustedes las lecciones. 7. Compre usted el coche. 8. Manden ustedes los regalos.

1. _____

2. _____

3. _____

4. _____

5. _____

6. _____

7. _____

8. _____

D. Affirmative commands: –er verbs

Rewrite each statement so that it is a command.

Modelo: José come la naranja.
*José, **coma usted** la naranja.*

1. José bebe el agua. 2. José aprende la poesía. 3. José lee la lección. 4. José vende el coche. 5. José abre la ventana. 6. José sube las maletas. 7. José escribe la carta.

1. _____

2. _____

3. _____

4. _____

5. _____

6. _____

7. _____

E. Negative commands: irregular verbs

Rewrite each statement so that it is a negative command.

Modelo: Ustedes hacen los ejercicios.
No hagan ustedes los ejercicios.

1. Ustedes tienen prisa. 2. Ustedes vienen temprano. 3. Ustedes dicen las respuestas. 4. Ustedes salen para la capital. 5. Ustedes oyen la música. 6. Ustedes traen los boletos. 7. Ustedes ponen el dinero en la mesa.

1. _____

2. _____

3. _____

4. _____

5. _____

6. _____

7. _____

F. Commands with a direct object pronoun

Rewrite each negative statement so that it is an affirmative command

Modelo: Roberto no lo compra.
   Cómprelo usted.

1. Roberto no la mira. 2. Roberto no las manda. 3. Roberto no los usa. 4. Roberto no lo pinta. 5. Roberto no la estudia. 6. Roberto no los toma. 7. Roberto no las prepara. 8. Roberto no lo escucha.

1. _____   5. _____

2. _____   6. _____

3. _____   7. _____

4. _____   8. _____

G. Command forms of reflexive verbs

Write each sentence in the command form with **usted.**

Modelo: Felipe se levanta a las ocho.
   Levántese usted a las ocho.

1. Felipe se despierta temprano. 2. Felipe se sienta en la sala. 3. Felipe se acuesta en su cuarto. 4. Felipe se pone el abrigo. 5. Felipe se levanta por la mañana. 6. Felipe se divierte en el pueblo.

1. _____

2. _____

3. _____

4. _____

5. _____

6. _____

H. The use of the **ustedes** form of command

Rewrite each negative sentence so that it is an affirmative command.

Modelo: Nosotros no hemos mirado las pinturas.
*Pues **miren ustedes** las pinturas.*

1. Nosotros no hemos escuchado el concierto. 2. Nosotros no hemos pintado el cuarto. 3. Nosotros no hemos comprado los boletos. 4. Nosotros no hemos estudiado el problema. 5. Nosotros no hemos aprendido la lección. 6. Nosotros no hemos subido las sillas.

1. _____

2. _____

3. _____

4. _____

5. _____

6. _____

I. The use of **figúrese** in exclamative sentences

Rewrite each sentence, making it an exclamation, according to the model.

Modelo: ¿ Qué le parece a usted esta ciudad ?
*¡ Excelente ! ¡ **Figúrese usted** qué ciudad para turistas !*

1. ¿ Qué le parece a usted este museo ? 2. ¿ Qué le parece a usted este hotel ? 3. ¿ Qué le parece a usted este pueblo ? 4. ¿ Qué le parece a usted esta playa ? 5. ¿ Qué le parece a usted esta región ? 6. ¿ Qué le parece a usted este castillo ?

1. _____

2. _____

3. _____

4. _____

5. _____

6. _____

28 Juárez y Maximiliano

Pronunciación

Listen to lines 1–9 (read without pauses); repeat lines 10–35 (read with pauses).

Preguntas

A. Answer each question with a complete sentence. Begin each answer with **sí** or **no.**

1. Durante los primeros cincuenta y cinco años de su independencia ¿ tuvo México muchos presidentes ? 2. ¿ Era indio Juárez ? 3. ¿ Invadieron México los soldados de Napoleón III ? 4. ¿ Instaló Maximiliano su corte en Oaxaca ? 5. ¿ Fue capturado Maximiliano por los soldados de Napoleón III ?

B. Answer each question in a complete sentence. Model your answer on the question.

1. Durante los primeros cincuenta y cinco años de su independencia ¿ tuvo México muchos o pocos presidentes ? 2. ¿ Era indio o criollo Juárez ? 3. ¿ Invadieron México los soldados de Napoleón I o los de Napoleón III ? 4. ¿ Instaló Maximiliano su corte en Oaxaca o en el castillo de Chapultepec ? 5. ¿ Fue capturado Maximiliano por los soldados de Napoleón III o por las fuerzas del presidente Juárez ?

Estructuras

A. The use of **hacerse** (*become*)

Repeat each sentence, substituting the indicated profession.

Modelo: Este joven se hizo abogado. (médico)
   Este joven se hizo médico.

1. ingeniero   2. maestro   3. professor   4. campesino   5. torero   6. artista   7. estudiante
8. soldado

B. The use of **llegar a ser** (*become*)

Repeat each sentence, substituting the indicated profession.

Modelo: Carlos llegó a ser profesor. (abogado)
   Carlos llegó a ser abogado.

1. arquitecto   2. torero   3. estudiante   4. especialista   5. maestro   6. artista   7. médico
8. ingeniero

C. The use of **no nos quedan**

Answer each question, beginning with **No, ya no nos quedan** . . .

Modelo: ¿ Tienen ustedes libros ?
   No, ya no nos quedan libros.

1. ¿ Tienen ustedes mapas ? 2. ¿ Tienen ustedes naranjas ? 3. ¿ Tienen ustedes cuartos ?
4. ¿ Tienen ustedes sarapes ? 5. ¿ Tienen ustedes timbres ? 6. ¿ Tienen ustedes plátanos ?

D. The use of **volverse** (*become*)

React to each statement as in the model.

Modelo: Carlos está muy ambicioso ahora.
   Sí, se volvió muy ambicioso el año pasado.

1. Carlos está muy práctico ahora. 2. Carlos está muy conservador ahora. 3. Carlos está muy informal ahora. 4. Carlos está muy puntual ahora. 5. Carlos está muy liberal ahora. 6. Carlos está muy religioso ahora.

E. The use of **parecer**

Answer each question as in the model.

Modelo: ¿ Qué les parece la corrida ?
   Nos parece bastante mala.

1. ¿ Qué les parece el postre ? 2. ¿ Qué les parece la obra ? 3. ¿ Qué les parece el gobierno ? 4. ¿ Qué les parece la pintura ? 5. ¿ Qué les parece el hotel ? 6. ¿ Qué les parece el cuarto ?

F. The use of **ponerse** (*to become*)

Write each sentence, substituting the indicated subject, and make the necessary changes.

Modelo: La señora se puso furiosa. (los campesinos)
   *Los campesinos **se pusieron** furiosos.*

1. yo 2. nosotros 3. usted 4. ustedes 5. Roberto y yo 6. la señora y la criada 7. él 8. ellas

1. _____

2. _____

3. _____

4. _____

5. _____

6. _____

7. _____

8. _____

G. The use of **A mí me falta**

Rewrite each sentence with **A mí me falta . . .**

Modelo: Yo necesito un chofer.
   A mí me falta un chofer.

1. Yo necesito un criado. 2. Yo necesito un abogado. 3. Yo necesito un médico. 4. Yo necesito un profesor. 5. Yo necesito un maestro. 6. Yo necesito un obrero. 7. Yo necesito tiempo para estudiar. 8. Yo necesito dinero.

1. _____ 5. _____

2. _____ 6. _____

3. _____ 7. _____

4. _____ 8. _____

29 La Universidad Nacional de México

Pronunciación

Listen to lines 1–15 (read without pauses); repeat lines 16–50 (read with pauses).

Preguntas

A. Answer each question with a complete sentence. Begin your answer with **sí** or **no.**

1. ¿ Se encuentra la Universidad al sur de la capital ? 2. ¿ Fue fundada la Universidad Nacional en el siglo dieciocho ? 3. ¿ Es moderna la arquitectura de la Universidad Nacional de México ? 4. ¿ Se trata de tú a los amigos en español ? 5. ¿ Son amplios los edificios universitarios de la capital de México ?

B. Answer each question in a complete sentence. Model your answer on the question.

1. ¿ Se encuentra la Universidad al sur o al norte de la capital ? 2. Fue fundada la Universidad Nacional en el siglo dieciséis o dieciocho ? 3. ¿ Es moderna o antigua la arquitectura de la Universidad Nacional de México ? 4. ¿ Se trata de tú o de usted a los amigos en español ? 5. ¿ Son amplios o pequeños los edificios universitarios de la capital de México ?

Estructuras

A. The present of **tú** forms

Restate each sentence with the **tú** form.

Modelo: Carlos habla demasiado.
> *Tú también **hablas** demasiado.*

1. Carlos trabaja demasiado. 2. Carlos pregunta demasiado. 3. Carlos estudia demasiado. 4. Carlos grita demasiado. 5. Carlos lee demasiado. 6. Carlos corre demasiado. 7. Carlos escribe demasiado. 8. Carlos sufre demasiado.

B. The imperfect of **tú** forms

React to the statement with the **tú** form as in the model.

Modelo: Yo nado mucho ahora.
> *Antes tú **nadabas** poco.*

1. Yo estudio mucho ahora. 2. Yo trabajo mucho ahora. 3. Yo pinto mucho ahora. 4. Yo hablo mucho ahora. 5. Yo corro mucho ahora. 6. Yo como mucho ahora. 7. Yo vendo mucho ahora. 8. Yo escribo mucho ahora.

C. The preterite of **tú** forms

Restate each sentence with the **tú** form.

Modelo: Usted cantó en la escuela.
> *Tú cantaste en la escuela.*

1. Usted pasó la noche aquí. 2. Usted llegó muy tarde. 3. Usted enseñó las fotografías. 4. Usted bebió agua. 5. Usted escribió cartas. 6. Usted perdió el mapa. 7. Usted vivió en la capital. 8. Usted sufrió por el calor.

D. The possessive pronoun **el mío**

Write each sentence, reacting to the statement, as in the model.

Modelo: Aquí está mi libro.
> *El mío también.*

1. Aquí está mi cuarto. 2. Aquí está mi oficina. 3. Aquí están mis mesas. 4. Aquí está mi esposo. 5. Aquí están mis hijos. 6. Aquí está mi casa. 7. Aquí están mis fotografías. 8. Aquí están mis amigos.

1. _____

2. _____

3. _____

4. _____

5. _____

6. _____

7. _____

8. _____

E. The possessive pronoun **el suyo**

Write a question based on each statement, using a form of **el suyo**.

Modelo: Mi familia está en el campo.
> *¿ Dónde está la suya ?*

1. Mi casa está en el campo. 2. Mi amigo está en el campo. 3. Mi hermana está en el campo. 4. Mi profesor está en el campo. 5. Mis criadas están en el campo. 6. Mis hijos están en el campo. 7. Mis hermanos están en el campo. 8. Mis vacas están en el campo.

1. _____

2. _____

3. _____

4. _____

5. _____

6. _____

7. _____

8. _____

F. The possessive **el tuyo**

Write each sentence, reacting to the statement with a form of **el tuyo**.

Modelo: Tu libro es muy interesante.
*Pues, yo prefiero **el tuyo**.*

1. Tu mesa es muy moderna. 2. Tu pueblo es muy pintoresco. 3. Tu hamaca es muy buena. 4. Tu pintura es muy bonita. 5. Tus fotografías son muy hermosas. 6. Tus regalos son muy prácticos. 7. Tus naranjas son muy deliciosas. 8. Tus profesores son muy interesantes. 9. Tu jardín es magnífico.

1. _____

2. _____

3. _____

4. _____

5. _____

6. _____

7. _____

8. _____

9. _____

G. The use of **conocer** and **saber**

Write the answer to each question as in the model.

Modelo: ¿ Conoces a los señores ?
*Los **conozco** pero no sé dónde están.*

1. ¿ Conoces al profesor ? 2. ¿ Conoces a los estudiantes ? 3. ¿ Conoces a la señora ? 4. ¿ Conoces a las muchachas ? 5. ¿ Conoces a la criada ? 6. ¿ Conoces a los médicos ? 7. ¿ Conoces al jefe ? 8. ¿ Conoces a las señoritas ?

1. _____

2. _____

3. _____

4. _____

5. _____

6. _____

7. _____

8. _____

H. The use of **pasar** + *a period of time*

Answer each sentence as in the model.

Modelo: ¿ Estuviste tres horas en la biblioteca ?
Sí, pasé tres horas en la biblioteca.

1. ¿ Estuviste dos días en la ciudad ? 2. ¿ Estuviste cinco horas en el museo ? 3. ¿ Estuviste tres semanas en el campo ? 4. ¿ Estuviste cuatro meses en la sierra ? 5. ¿ Estuviste dos años en el pueblo ? 6. ¿ Estuviste una hora en el castillo ?

1. _____

2. _____

3. _____

4. _____

5. _____

6. _____

30 La Revolución

Pronunciación

Repeat lines 1–22 (read with pauses); listen to lines 23–52 (read without pauses).

Preguntas

A. Answer each question with a complete sentence. Begin your answer with **sí** or **no.**

1. ¿Fue elegido presidente Porfirio Díaz en 1876? 2. ¿Imitaban los mexicanos ricos a los ingleses en la época de Porfirio Díaz? 3. ¿Duró la guerra civil mexicana quince años? 4. En los últimos cincuenta años ¿ha aumentado la población de México poco? 5. ¿Es México el primer país productor de plata?

B. Answer each question in a complete sentence. Model your answer on the question.

1. ¿Fue elegido presidente Porfirio Díaz o Francisco Madero en 1876? 2. ¿Imitaban los mexicanos ricos a los franceses o a los ingleses en la época de Porfirio Díaz? 3. ¿Duró la guerra civil mexicana once o quince años? 4. En los últimos cincuenta años ¿ha aumentado la población de México poco o mucho? 5. ¿Es México el primer país productor de plata o de oro?

Estructuras

A. The use of ¿ **Quién** . . . ? as subject of the sentence

Make a question from each statement, using ¿ **Quién** . . . ? or ¿ **Quiénes** . . . ?

Modelo: Carlos vendió la máquina.
> ¿ **Quién** vendió la máquina ?

1. Carlos compró un abrigo. 2. Carlos fue a la biblioteca. 3. Carlos perdió el boleto. 4. Los estudiantes llegaron tarde. 5. Los estudiantes ganaron el juego. 6. Los estudiantes volvieron a las ocho. 7. Carlos explicó el problema. 8. Los estudiantes abrieron la puerta.

B. The use of ¿ **A quién** . . . ? as the indirect object

Make a question from each statement, using ¿ **A quién** . . . ? or ¿ **A quiénes** . . . ?

Modelo: Le di un libro a mi hijo.
> ¿ **A quién** le dio usted un libro ?

1. Le di un timbre a Carlos. 2. Le di un refresco a mi mujer. 3. Le di un regalo a Carlota. 4. Les di una bandera a los niños. 5. Les di un mapa a mis hermanos. 6. Les di una guitarra a los estudiantes. 7. Les di un boleto a mis profesores. 8. Le di un reloj a mi amigo.

91

C. The use of ¿ **Qué** . . . ?

Make a question from each statement, using ¿ **Qué** . . . ?

Modelo: Roberto abrió las ventanas.
    ¿ Qué abrió Roberto ?

1. Roberto escribió una carta. 2. Roberto compró un libro. 3. Roberto vendió su guitarra. 4. Roberto perdió su dinero. 5. Roberto escuchó el concierto. 6. Roberto hizo el trabajo. 7. Roberto tomó la naranja. 8. Roberto dijo la verdad.

D. The use of ¿ **Qué** + noun

Make a question from each statement, using ¿ **Qué** + noun.

Modelo: José trajo la carta de Carlos.
    ¿ Qué carta trajo José ?

1. José trajo el regalo de Carlos. 2. José trajo el libro de Carlos. 3. José trajo el abrigo de Carlos. 4. José trajo la fotografía de Carlos. 5. José trajo el mapa de Carlos. 6. José trajo la hamaca de Carlos. 7. José trajo el dinero de Carlos. 8. José trajo el sarape de Carlos.

E. The use of ¿ **Cuál es** . . . ? and ¿ **Cuáles son** . . . ?

Make a question from each statement, using ¿ **Cuál es** . . . ? or ¿ **Cuáles son** . . . ?

Modelo: Éste es el coche de María.
    ¿ Cuál es el coche de María ?

1. Ésta es la casa de María. 2. Éste es el reloj de María. 3. Éste es el cuarto de María. 4. Ésta es la fotografía de María. 5. Éstos son los libros de María. 6. Éstas son las flores de María. 7. Éstos son los regalos de María. 8. Éstos son los timbres de María.

1. _____   5. _____

2. _____   6. _____

3. _____   7. _____

4. _____   8. _____

F. The use of ¿ **Cuánto** . . . ?

Rewrite each question, substituting the indicated noun.

Modelo: ¿ Cuánto dinero tiene la señora García ? (hijos)
    ¿ Cuántos hijos tiene la señora García ?

1. coches   2. casas   3. amigos   4. trabajo   5. influencia   6. abrigos   7. flores   8. relojes

1. _____

2. _____

3. _____

4. _____

5. _____

6. _____

7. _____

8. _____

G. The present participle

Rewrite each sentence, using the present participle, as in the model.

Modelo: Fabrico artículos de plata.
        Trabajo fabricando artículos de plata.

    1. Vendo casas viejas. 2. Compro relojes de oro. 3. Pinto edificios grandes. 4. Enseño lenguas modernas. 5. Cambio dinero extranjero. 6. Cuido niños pequeños.

1. _____

2. _____

3. _____

4. _____

5. _____

6. _____

H. The use of **pasar** + present participle

Write the answer to each question, using **pasé dos horas** + present participle.

Modelo: ¿ Usted contestó las preguntas ?
        *Sí, pasé dos horas **contestando** las preguntas.*

    1. ¿ Usted buscó un cuarto ? 2. ¿ Usted pintó la puerta ? 3. ¿ Usted enseñó las fotografías ? 4. ¿ Usted miró las películas ? 5. ¿ Usted escribió los ejercicios ? 6. ¿ Usted preparó la cena ? 7. ¿ Usted visitó el museo ? 8. ¿ Usted explicó los problemas ?

1. _____

2. _____

3. _____

4. _____

5. _____

6. _____

7. _____

8. _____

I. The use of the article with titles

Answer each question according to the model.

Modelo: Señor Díaz, ¿ quiere usted bajar ?
El señor Díaz quiere bajar.

    1. Señora Pérez, ¿ quiere usted cenar ? 2. Señorita López, ¿ quiere usted leer ? 3. Doctor Gómez, ¿ quiere usted entrar ? 4. Profesor González, ¿ quiere usted empezar ? 5. Señor Álvarez, ¿ quiere usted hablar ? 6. Señora Méndez, ¿ quiere usted subir ?

1. _____

2. _____

3. _____

4. _____

5. _____

6. _____

Dictado

    Listen carefully to the recording. You will hear a series of sentences. Each sentence is followed by a pause to give you time to write it. Each sentence will be read twice. In the pause that follows the first reading, write as much of the sentence as you can. In the pause that follows the second reading, complete the sentence.

    At the end of the dictation, the complete group of sentences will be read without pauses. This will give you an opportunity to check your copy.

_____

_____

_____

_____

_____

_____

_____

_____

_____

_____

_____

_____

31 España

Pronunciación

Repeat lines 1–19 (read with pauses); listen to lines 20–44 (read without pauses).

Preguntas

A. Answer each question with a complete sentence. Begin your answer with **sí** or **no.**

1. ¿ Ocupa España toda la península ibérica ? 2. ¿ Hay muchos ríos navegables en España ? 3. ¿ Son suaves los inviernos en el sur de España ? 4. ¿ Es célebre Andalucía por sus industrias ? 5. ¿ Está separada España del resto de Europa por la Sierra Nevada ?

B. Answer each question in a complete sentence. Model your answer on the question.

1. ¿ Ocupa España toda la península ibérica o solo una parte de ella ? 2. ¿ Hay muchos o pocos ríos navegables en España ? 3. ¿ Son suaves los inviernos en el sur o en el norte de España ? 4. ¿ Es célebre Andalucía por sus industrias o por sus bailes ? 5. ¿ Está separada España del resto de Europa por la Sierra Nevada o por los Pirineos ?

Estructuras

A. The use of **cerca de** + a form of **el cual**

Combine the two sentences with **cerca de** + a form of **el cual.**

Modelo: Ésta es la biblioteca. Vi a María allí.
*Ésta es la biblioteca **cerca de la cual** vi a María.*

1. Éste es el mercado. Vi a María allí. 2. Ésta es la tienda. Vi a María allí. 3. Éste es el parque. Vi a María allí. 4. Ésta es la oficina. Vi a María allí. 5. Éste es el museo. Vi a María allí. 6. Ésta es la iglesia. Vi a María allí.

B. The use of **lo cual**

Combine the two sentences with **lo cual.**

Modelo: Hoy hace mucho calor. Esto no me gusta.
*Hoy hace mucho calor, **lo cual** no me gusta.*

1. Hoy hace mucho frío. Esto no me gusta. 2. Hoy hace mucho viento. Esto no me gusta. 3. Hoy hace mucho sol. Esto no me gusta. 4. Hoy hace mal tiempo. Esto no me gusta. 5. Hoy hace mucho fresco. Esto no me gusta.

C. Gender of nouns

Substitute the indicated noun with the proper form of the definite article.

Modelo: Ayer traje el reloj. (campana)
Ayer traje **la campana.**

    1. regalo   2. pintura   3. coche   4. mapa   5. vestido   6. mesa   7. cadena   8. lección

D. The use of **en** + a form of **cual**

Rewrite each sentence, using **en** + a form of **cual.**

Modelo: Vivo en una casa grande.
La casa en **la cual** *vivo es grande.*

    1. Trabajo en un edificio alto. 2. Estudio en una escuela pequeña. 3. Como en un restaurante típico. 4. Enseño en un aula moderna. 5. Leo en una biblioteca antigua. 6. Escribo en una mesa vieja.

1. _____

2. _____

3. _____

4. _____

5. _____

6. _____

E. junto a = al lado de

Rewrite each sentence with **junto a.**

Modelo: La iglesia está al lado de la escuela.
La iglesia está **junto a** *la escuela.*

    1. El pueblo está al lado de la montaña. 2. La catedral está al lado del palacio. 3. El hotel está al lado de la tienda. 4. La casa está al lado del museo. 5. El castillo está al lado del camino. 6. El restaurante está al lado del lago.

1. _____

2. _____

3. _____

4. _____

5. _____

6. _____

32   De Irún a Ávila

Pronunciación

Repeat lines 1–25 (read with pauses); repeat lines 26–47 (read without pauses).

Preguntas

A.   Answer each question with a complete sentence. Begin your answer with **sí** or **no**.

1. ¿ Es San Sebastián una ciudad del norte de España ? 2. ¿ Se sacan billetes de tren en la taquilla ? 3. ¿ Es un tren viejo el TALGO ? 4. ¿ Es la ciudad de Burgos famosa por sus murallas medievales ? 5. ¿ Es gótico el estilo de la catedral de Burgos ?

B.   Answer each question in a complete sentence. Model your answer on the question.

1. ¿ Es San Sebastián una ciudad del norte o del este de España ? 2. ¿ Se sacan billetes de tren en la plaza o en la taquilla ? 3. ¿ Es un tren viejo o moderno el TALGO ? 4. ¿ Es la ciudad de Burgos famosa por sus murallas medievales o por su catedral ? 5. ¿ Es gótico o románico el estilo de la catedral de Burgos ?

Estructuras

A.   The present progressive: **él** form

Answer negatively, using the present progressive.

Modelo: Felipe come mucho ¿ verdad ?
   *Sí, pero ahora no **está comiendo**.*

1. Felipe habla mucho ¿ verdad ? 2. Felipe practica mucho ¿ verdad ? 3. Felipe estudia mucho ¿ verdad ? 4. Felipe lee mucho ¿ verdad ? 5. Felipe bebe mucho ¿ verdad ? 6. Felipe escribe mucho ¿ verdad ? 7. Felipe canta mucho ¿ verdad ? 8. Felipe viaja mucho ¿ verdad ?

B.   The imperfect progressive

Answer each question, using the imperfect progressive.

Modelo: ¿ Por fin habló Luisa ?
   *Sí, todavía **estaba hablando** cuando salimos.*

1. ¿ Por fin estudió Luisa ? 2. ¿ Por fin cenó Luisa ? 3. ¿ Por fin cantó Luisa ? 4. ¿ Por fin escribió Luisa ? 5. ¿ Por fin corrió Luisa ? 6. ¿ Por fin contestó Luisa ? 7. ¿ Por fin almorzó Luisa ? 8. ¿ Por fin comió Luisa ?

C. The present progressive: **yo** form

Answer each question with the present progressive.

Modelo: ¿ Qué haces ? ¿ Escribir ?
  Sí, estoy escribiendo.

1. ¿ Qué haces ? ¿ Estudiar ?   2. ¿ Qué haces ? ¿ Jugar ?   3. ¿ Qué haces ? ¿ Practicar ?
4. ¿ Qué haces ? ¿ Pintar ?   5. ¿ Qué haces ? ¿ Beber ?   6. ¿ Qué haces ? ¿ Comer ?   7. ¿ Qué haces ? ¿ Pasear ?   8. ¿ Qué haces ? ¿ Correr ?

D. The progressive with **seguir**

Answer each question with **seguir** and the present participle.

Modelo: ¿ Viaja mucho Felipe ?
  Sí, sigue viajando mucho todavía.

1. ¿ Come mucho Felipe ? 2. ¿ Estudia mucho Felipe ? 3. ¿ Escribe mucho Felipe ? 4. ¿ Corre mucho Felipe ? 5. ¿ Bebe mucho Felipe ? 6. ¿ Habla mucho Felipe ? 7. ¿ Sufre mucho Felipe ? 8. ¿ Trabaja mucho Felipe ?

E. The progressive with a pronoun object appended

Rewrite each sentence, changing the noun object to a pronoun object, appending it to the present participle.

Modelo: Estamos mirando las fotografías en la sala.
  Estamos mirándolas en la sala.

1. Estamos escribiendo los ejercicios en la sala. 2. Estamos explicando la lección en la sala. 3. Estamos enseñando las pinturas en la sala. 4. Estamos buscando los libros en la sala. 5. Estamos escuchando el concierto en la sala. 6. Estamos comiendo los plátanos en la sala.

1. _____

2. _____

3. _____

4. _____

5. _____

6. _____

F. The progressive with a preceding pronoun object

Rewrite each sentence with a pronoun object, placing it before the verb.

Modelo: Estoy leyendo el libro ahora.
  Lo estoy leyendo ahora.

1. Estoy estudiando la lección ahora. 2. Estoy escribiendo la carta ahora. 3. Estoy aprendiendo una poesía ahora. 4. Estoy explicando el problema ahora. 5. Estoy enseñando las estaciones ahora. 6. Estoy subiendo las maletas ahora. 7. Estoy bajando los sillones ahora. 8. Estoy comiendo las uvas ahora.

1. _____ 5. _____

2. _____ 6. _____

3. _____ 7. _____

4. _____ 8. _____

G. The progressive tense of reflexive verbs—present

Rewrite each sentence, substituting the indicated subject.

Modelo: Roberto está bañándose en la playa. (ustedes)
*Ustedes **están** bañándose en la playa.*

1. José 2. usted 3. yo 4. tú 5. los señores 6. nosotros 7. usted y yo 8. María

1. _____

2. _____

3. _____

4. _____

5. _____

6. _____

7. _____

8. _____

H. The progressive tense of reflexive verbs—imperfect

Rewrite each sentence, substituting the indicated subject.

Modelo: La señora estaba acostándose cuando llamó Carlos. (los niños)
*Los niños **estaban** acostándose cuando llamó Carlos.*

1. ustedes 2. nosotros 3. ellos 4. yo 5. tú 6. el estudiante 7. usted y Felipe 8. José y Pedro

1. _____

2. _____

3. _____

4. _____

5. _____

6. _____

7. _____

8. _____

I. The **tú** form of the present progressive

Answer each question in the present progressive.

Modelo: ¿ Crees tú que yo hablo mucho ?
   *Sí, siempre **estás hablando.***

  1. ¿ Crees tú que yo estudio mucho ? 2. ¿ Crees tú que yo pregunto mucho ? 3. ¿ Crees tú que yo compro mucho ? 4. ¿ Crees tú que yo como mucho ? 5. ¿ Crees tú que yo corro mucho ? 6. ¿ Crees tú que yo escribo mucho ?

1. _____

2. _____

3. _____

4. _____

5. _____

6. _____

J. The present progressive followed by a pronoun object

Answer each question according to the model.

Modelo: ¿ Ya aprendió usted las lecciones ?
   *No, todavía estoy **aprendiéndolas.***

  1. ¿ Ya escribió usted la carta ? 2. ¿ Ya buscó usted los regalos ? 3. ¿ Ya contestó usted las preguntas ? 4. ¿ Ya escuchó usted la ópera ? 5. ¿ Ya vendió usted el coche ? 6. ¿ Ya escribió usted los ejercicios ?

1. _____

2. _____

3. _____

4. _____

5. _____

6. _____

33   Costumbres españolas

Pronunciación

Listen to lines 1–25 (read without pauses); repeat lines 26–56 (read with pauses).

Preguntas

A.   Answer each question with a complete sentence. Begin each answer with **sí** or **no.**

1. En España ¿ se abren las tiendas normalmente a las siete y media de la mañana ? 2. En España ¿ se cena a las seis de la tarde ? 3. ¿ Dicen los chicos cosas desagradables a las chicas en el paseo ? 4. Para telefonear a una persona ¿ se necesita su dirección ? 5. ¿ Se cierran las tiendas a la una en España ?

B.   Answer each question in a complete sentence. Model your answer on the question.

1. En España ¿ se abren las tiendas normalmente a las siete y media o a las nueve de la mañana ? 2. En España ¿ se cena a las seis de la tarde o a las diez de la noche ? 3. ¿ Dicen los chicos cosas bonitas o cosas desagradables a las chicas en el paseo ? 4. Para telefonear a una persona ¿ se necesita su dirección o su número de teléfono ? 5. ¿ Se abren o se cierran las tiendas a la una en España ?

Estructuras

A.   The **él** form of the future

React to each statement as in the model.

Modelo: Juan trabaja hoy ¿ verdad ?
        *Sí, y mañana **trabajará** también.*

1. Juan estudia hoy ¿ verdad ? 2. Juan habla hoy ¿ verdad ? 3. Juan canta hoy ¿ verdad ? 4. Juan corre hoy ¿ verdad ? 5. Juan lee hoy ¿ verdad ? 6. Juan escribe hoy ¿ verdad ? 7. Juan llama hoy ¿ verdad ? 8. Juan enseña hoy ¿ verdad ?

B.   The **nosotros** form of the future

Answer each question negatively with the **nosotros** form of the future.

Modelo: ¿ Van a volver ustedes hoy ?
        *No, no **volveremos** hasta mañana.*

1. ¿ Van a llamar ustedes hoy ? 2. ¿ Van a nadar ustedes hoy ? 3. ¿ Van a preguntar ustedes hoy ? 4. ¿ Van a correr ustedes hoy ? 5. ¿ Van a escribir ustedes hoy ? 6. ¿ Van a pagar ustedes hoy ? 7. ¿ Van a cobrar ustedes hoy ? 8. ¿ Van a decidir ustedes hoy ?

C. Forms of the future

Rewrite each sentence, substituting the indicated subject.

Modelo: Juan llegará el jueves. (los estudiantes)
*Los estudiantes **llegarán** el jueves.*

1. yo   2. nosotros   3. tú   4. ustedes   5. la señora   6. los campesinos   7. tú y yo   8. usted y él

1. _____

2. _____

3. _____

4. _____

5. _____

6. _____

7. _____

8. _____

D. The **yo** form of the future

Write the answer to each question in the future, as in the model.

Modelo: ¿ Ya cenó usted ?
*No, pero **cenaré** en seguida.*

1. ¿ Ya terminó usted ? 2. ¿ Ya empezó usted ? 3. ¿ Ya llamó usted ? 4. ¿ Ya pagó usted ? 5. ¿ Ya comió usted ? 6. ¿ Ya decidió usted ? 7. ¿ Ya escogió usted ? 8. ¿ Ya contestó usted ?

1. _____   5. _____

2. _____   6. _____

3. _____   7. _____

4. _____   8. _____

E. Irregular futures

Write the answer to each question with the **yo** form of the future, as in the model.

Modelo: ¿ Cuándo va a saber el resultado ?
***Sabré** el resultado mañana.*

1. ¿ Cuándo va a salir ? 2. ¿ Cuándo va a decir el poema ? 3. ¿ Cuándo va a poder estudiar ? 4. ¿ Cuándo va a tener el dinero ? 5. ¿ Cuándo va a ir a Madrid ? 6. ¿ Cuándo va a haber mucha gente ?

1. _____   4. _____

2. _____   5. _____

3. _____   6. _____

34 Barcelona

Pronunciación

Repeat lines 1–20 (read with pauses); listen to lines 21–50 (read without pauses).

Preguntas

A. Answer each question with a complete sentence. Begin your answer with **sí** or **no.**

1. ¿ Es Barcelona la primera ciudad de España ? 2. ¿ Son anchas las calles del barrio viejo de Barcelona ? 3. ¿ Está Barcelona en el Mediterráneo ? 4. ¿ Está Barcelona en Castilla ? 5. ¿ Se habla catalán en todas las regiones de España ?

B. Answer each question in a complete sentence. Model your answer on the question.

1. ¿ Es Barcelona la primera o la segunda ciudad de España ? 2. ¿ Son anchas o estrechas las calles del barrio viejo de Barcelona ? 3. ¿ Está Barcelona en el Mediterráneo o en el Atlántico ? 4. ¿ Está Barcelona en Castilla o Cataluña ? 5. Se habla catalán en todas las regiones de España o solamente en Cataluña ?

Estructuras

A. The use of **desde** with a point in time

React to each statement as in the model.

Modelo: He esperado mucho tiempo.
  Espero desde el domingo.

1. He trabajado mucho tiempo. 2. He estudiado mucho tiempo. 3. He descansado mucho tiempo. 4. He practicado mucho tiempo. 5. He escrito mucho tiempo. 6. He caminado mucho tiempo.

B. The use of **hace** with a time expression

React to each statement with **Hace cinco minutos** . . .

Modelo: Ustedes han hablado poco tiempo.
  Hace cinco minutos que ustedes hablan.

1. Ustedes han escrito poco tiempo. 2. Ustedes han leído poco tiempo. 3. Ustedes han trabajado poco tiempo. 4. Ustedes han esperado poco tiempo. 5. Ustedes han descansado poco tiempo. 6. Ustedes han estudiado poco tiempo. 7. Ustedes han practicado poco tiempo. 8. Ustedes han ayudado poco tiempo.

C. The use of **desde hace** with a time expression

Transform each sentence so as to say that you have been carrying on an activity for six months.

Modelo: He estudiado mucho este año.
      Estudio desde hace seis meses.

    1. He viajado mucho este año. 2. He trabajado mucho este año. 3. He enseñado mucho este año. 4. He descansado mucho este año. 5. He paseado mucho este año. 6. He practicado mucho este año. 7. He escrito mucho este año. 8. He pintado mucho este año.

D. The use of **desde** with time of day

React to each statement as in the model.

Modelo: Carlota ha trabajado mucho hoy.
      Carlota trabaja desde las ocho.

    1. Carlota ha leído mucho hoy. 2. Carlota ha nadado mucho hoy. 3. Carlota ha caminado mucho hoy. 4. Carlota ha corrido mucho hoy. 5. Carlota ha escrito mucho hoy. 6. Carlota ha pintado mucho hoy. 7. Carlota ha estudiado mucho hoy. 8. Carlota ha descansado mucho hoy.

E. The expression **ganarse la vida**

Rewrite each sentence, substituting the indicated subject.

Modelo: El campesino se gana la vida en el campo. (ustedes)
      Ustedes se ganan la vida en el campo.

    1. nosotros   2. Carlos   3. tú   4. yo   5. los médicos   6. usted   7. mis amigos y yo   8. la señora Pérez

1. _____

2. _____

3. _____

4. _____

5. _____

6. _____

7. _____

8. _____

35 La comida y las pensiones en España

Pronunciación

Repeat lines 1–23 (read with pauses); listen to lines 24–40 (read without pauses).

Preguntas

A. Answer each question with a complete sentence. Begin your answer with **sí** or **no**.

1. ¿ Se toma el desayuno por la tarde ? 2. ¿ Se come a las doce en España ? 3. Durante la comida generalmente ¿ se bebe vino ? 4. ¿ Se toma café en España durante la comida ? 5. ¿ Se puede conseguir habitación en una pensión por poco dinero ?

B. Answer each question in a complete sentence. Model your answer on the question.

1. ¿ Se toma el desayuno por la mañana o por la tarde ? 2. ¿ Se come a las doce o entre las dos y las tres de la tarde en España ? 3. Generalmente durante la comida ¿ se bebe vino o leche ? 4. ¿ Se toma café durante la comida o después de la comida en España ? 5. ¿ Se puede conseguir una habitación en una pensión por poco o mucho dinero ?

Estructuras

A. The use of **por** to express *through*

Repeat each sentence, substituting the indicated noun.

Modelo: Entramos allí por el comedor. (el camino)
    Entramos allí por el camino.

1. ia ventana   2. la puerta   3. el comedor   4. la sala   5. la calle   6. la carretera

B. The use of **por** to express *by* after the passive

Answer each question with the indicated noun.

Modelo: ¿ Por quién fue escrita esta carta ? (Carlos)
    Esta carta fue escrita por Carlos.

1. ¿ Por quién fue escrita esta carta ? (María) 2. ¿ Por quién fue escrita esta carta ? (el profesor) 3. ¿ Por quién fue escrita esta carta ? (la señora Pérez) 4. ¿ Por quién fue escrita esta carta ? (el médico) 5. ¿ Por quién fue escrita esta carta ? (usted) 6. ¿ Por quién fue escrita esta carta ? (el abogado)

C. The use of **por** to express *the reason for* . . .

Restate each sentence with **por,** as in the model.

Modelo: En la catedral hay mosaicos.
La catedral es célebre por sus mosaicos.

1. En la iglesia hay artículos de plata. 2. En la ciudad hay fábricas de coches. 3. En la capital hay museos. 4. En el pueblo hay iglesias antiguas. 5. En el centro hay teatros buenos. 6. En la universidad hay bibliotecas modernas.

D. The use of **por** to express *in exchange for* . . .

Answer each question with **Pagamos mucho dinero por** . . . , as in the model.

Modelo: ¿ Cuánto costó el coche ?
Pagamos mucho dinero por el coche.

1. ¿ Cuánto costó el terreno ? 2. ¿ Cuánto costó la pintura ? 3. ¿ Cuánto costó la escultura ? 4. ¿ Cuánto costó el abrigo ? 5. ¿ Cuánto costó la casa ? 6. ¿ Cuánto costó la piscina ?

E. The use of **por** in expressions of rate

Repeat each sentence, substituting the indicated subject.

Modelo: El coche va a cien kilómetros por hora. (el rápido)
El rápido va a cien kilómetros por hora.

1. el avión   2. el automóvil   3. el metro   4. el camión   5. el TALGO   6. el TER

F. The use of **por** in expressions of time

Repeat each sentence, substituting the indicated time unit.

Modelo: ¿ Cuánto gana Carlos por noche ? (tarde)
¿ Cuánto gana Carlos por tarde ?

1. día   2. mes   3. año   4. semana   5. hora

G. The use of **estar por**

React to each statement as in the model, using **estoy por** + infinitive.

Modelo: Tus hermanos no quieren trabajar mañana.
Yo sí estoy por trabajar mañana.

1. Tus hermanos no quieren salir mañana. 2. Tus hermanos no quieren estudiar mañana. 3. Tus hermanos no quieren pasear mañana. 4. Tus hermanos no quieren empezar mañana. 5. Tus hermanos no quieren venir mañana. 6. Tus hermanos no quieren madrugar mañana.

H. The use of **para** to express destination with place names

Rewrite each statement, using **a las ocho para** . . .

Modelo: Ayer fui a Monterrey.
Salí a las ocho para Monterrey.

1. Ayer fui a México. 2. Ayer fui a Madrid. 3. Ayer fui a Barcelona. 4. Ayer fui a Burgos. 5. Ayer fui a Ávila. 6. Ayer fui a Taxco.

1. _____

2. _____

3. _____

4. _____

5. _____

6. _____

I. The use of **estar para** + infinitive

Write an answer to each question, using **estar para** + infinitive, as in the model.

Modelo: ¿ Salió usted anoche ?

   Estaba para salir cuando usted llamó.

   1. ¿ Cenó usted anoche ? 2. ¿ Estudió usted anoche ? 3. ¿ Terminó usted anoche ? 4. ¿ Comió usted anoche ? 5. ¿ Escribió usted anoche ? 6. ¿ Empezó usted anoche ?

1. _____

2. _____

3. _____

4. _____

5. _____

6. _____

J. The use of **por** to express *duration of time*

Rewrite each sentence so as to use **por.**

Modelo: Estudié tres horas en el cuarto.

   Estudié en el cuarto por tres horas.

   1. Viví cinco años en Francia. 2. Leí seis horas en la biblioteca. 3. Nadé una hora en el mar. 4. Trabajé tres años en el campo. 5. Escribí treinta minutos en la sala. 6. Esperé dos días en el hotel.

1. _____

2. _____

3. _____

4. _____

5. _____

6. _____

K. The use of **para** to express *purpose*

Rewrite each sentence so as to use **para** + infinitive.

Modelo: Leí en la biblioteca.
Fui a la biblioteca para leer.

1. Estudié en la escuela. 2. Comí en el hotel. 3. Dormí en mi habitación. 4. Hablé en la reunión. 5. Escribí en la biblioteca. 6. Descansé en el jardín.

1. _____

2. _____

3. _____

4. _____

5. _____

6. _____

L. The use of **para** to express *destination*

Rewrite each sentence so as to use **para,** as in the model.

Modelo: El profesor necesita un libro.
Traje el libro para el profesor.

1. Mi hijo necesita un libro. 2. Los estudiantes necesitan un libro. 3. Mi hermano necesita un libro. 4. Los niños necesitan un libro. 5. Roberto necesita un libro. 6. Las chicas necesitan un libro.

1. _____

2. _____

3. _____

4. _____

5. _____

6. _____

36   Los árabes en España

Pronunciación

Listen to lines 1–28 (read without pauses); repeat lines 29–51 (read with pauses).

Preguntas

A.   Answer each question with a complete sentence. Begin your answer with **sí** or **no.**

1. ¿ Es el latín la base de la lengua española ? 2. ¿ Ocuparon los árabes casi toda España ? 3. ¿ Construyeron los reyes moros la Alhambra en Ávila ? 4. ¿ Fueron escritos en español los *Cuentos de la Alhambra* ? 5. ¿ Comenzaron los cristianos del norte la reconquista de España ?

B.   Answer each question in a complete sentence. Model your answer on the question.

1. ¿ Es el latín o el árabe la base de la lengua española ? 2. ¿ Ocuparon los árabes casi toda España o sólo una pequeña parte de España ? 3. ¿ Construyeron los reyes moros la Alhambra en Ávila o en Granada ? 4. ¿ Fueron escritos en español o en inglés los *Cuentos de la Alhambra* ? 5. ¿ Comenzaron los cristianos del norte o los de Granada la reconquista de España ?

Estructuras

A.   The preposition **en** (*on*)

Answer each question with **en la mesa,** as in the model.

Modelo: ¿ Dónde está el libro ?
*El libro está **en la mesa.***

1. ¿ Dónde está el abrigo ? 2. ¿ Dónde está la medicina ? 3. ¿ Dónde está el dinero ? 4. ¿ Dónde está la película ? 5. ¿ Dónde está el mapa ? 6. ¿ Dónde está la guitarra ?

B.   The preposition **hacia** (*toward*)

Answer each question with **hacia,** as in the model.

Modelo: ¿ Carlos está en la escuela ?
*No, pero va **hacia** la escuela.*

1. ¿ Carlos está en el hotel ? 2. ¿ Carlos está en la iglesia ? 3. ¿ Carlos está en el restaurante ? 4. ¿ Carlos está en la sala ? 5. ¿ Carlos está en la clase ? 6. ¿ Carlos está en el pueblo ?

C. The preposition **cerca de** (*near*)

Answer each question negatively with **cerca de**, as in the model.

Modelo: ¿ Trabaja usted en la fábrica ?
No, trabajo cerca de la fábrica.

1. ¿ Trabaja usted en el pueblo ? 2. ¿ Trabaja usted en el cine ? 3. ¿ Trabaja usted en la universidad ? 4. ¿ Trabaja usted en el centro ? 5. ¿ Trabaja usted en la capital ? 6. ¿ Trabaja usted en el hotel ?

D. The preposition **lejos de** (*far from*)

Answer each question negatively with **lejos de**, as in the model.

Modelo: ¿ Estamos cerca del castillo ?
No, estamos lejos del castillo.

1. ¿ Estamos cerca del puente ? 2. ¿ Estamos cerca de la aduana ? 3. ¿ Estamos cerca de la frontera ? 4. ¿ Estamos cerca del desierto ? 5. ¿ Estamos cerca del pueblo ? 6. ¿ Estamos cerca de la tienda ?

E. The preposition **según** (*according to*)

Restate each sentence with **según**.

Modelo: El profesor dice que la lección es fácil.
Según el profesor la lección es fácil.

1. El estudiante dice que la lección es fácil. 2. El niño dice que la lección es fácil. 3. El maestro dice que la lección es fácil. 4. Los chicos dicen que la lección es fácil. 5. Las chicas dicen que la lección es fácil. 6. Mis amigos dicen que la lección es fácil.

F. The preposition **después de** (*after*)

Answer each question negatively with **después de**.

Modelo: ¿ Subió usted antes de las nueve ?
No, subí después de las nueve.

1. ¿ Subió usted antes de las cuatro ? 2. ¿ Subió usted antes de las ocho ? 3. ¿ Subió usted antes de las doce ? 4. ¿ Subió usted antes de las tres ? 5. ¿ Subió usted antes de las cinco ? 6. ¿ Subió usted antes de la una ?

G. The preposition **antes de** (*before*)

Restate each sentence negatively, using **antes de**.

Modelo: La clase empieza a las diez.
No, empieza antes de las diez.

1. La clase empieza a las tres. 2. La clase empieza a las ocho. 3. La clase empieza a las cuatro. 4. La clase empieza a las siete. 5. La clase empieza a las once. 6. La clase empieza a la una.

H. The preposition **en lugar de** (*instead of*)

Answer each question with **en lugar de**.

Modelo: ¿ Compran ustedes jamón o queso ?
Compramos jamón en lugar de queso.

1. ¿ Compran ustedes pan o aceite ? 2. ¿ Compran ustedes guisantes o arroz ? 3. ¿ Compran ustedes helado o pasteles ? 4. ¿ Compran ustedes pescado o carne ? 5. ¿ Compran ustedes verduras o patatas ? 6. ¿ Compran ustedes vino o café ?

I. The preposition **alrededor de** (*around*)

Restate each sentence, using **alrededor de**.

Modelo: Los jóvenes caminan por el parque.
        *Los jóvenes caminan **alrededor del parque**.*

    1. Los jóvenes caminan por la escuela. 2. Los jóvenes caminan por el terreno. 3. Los jóvenes caminan por el paseo. 4. Los jóvenes caminan por la tienda. 5. Los jóvenes caminan por el bosque. 6. Los jóvenes caminan por el mercado.

J. The preposition **detrás de** (*behind*)

React to each statement with **detrás de**.

Modelo: El jefe va delante de los soldados.
        *Por el contrario, va **detrás de los soldados**.*

    1. El jefe marcha delante de los soldados. 2. El jefe camina delante de los soldados. 3. El jefe está delante de los soldados. 4. El jefe corre delante de los soldados. 5. El jefe llega delante de los soldados. 6. El jefe avanza delante de los soldados.

K. The preposition **dentro de** (*inside*)

Answer each question with **dentro de**.

Modelo: ¿Cuántos turistas hay en la catedral?
        ***Dentro de la catedral** hay cien turistas.*

    1. ¿Cuántos turistas hay en la iglesia? 2. ¿Cuántos turistas hay en el templo? 3. ¿Cuántos turistas hay en el museo? 4. ¿Cuántos turistas hay en la fábrica? 5. ¿Cuántos turistas hay en la escuela? 6. ¿Cuántos turistas hay en el edificio?

L. The preposition **fuera de** (*outside*)

Answer each question negatively with **fuera de**.

Modelo: ¿Espera Carlos dentro de la tienda?
        *No, espera **fuera de la tienda**.*

    1. ¿Espera Carlos dentro de la clase? 2. ¿Espera Carlos dentro del edificio? 3. ¿Espera Carlos dentro de la casa? 4. ¿Espera Carlos dentro de la habitación? 5. ¿Espera Carlos dentro de la escuela? 6. ¿Espera Carlos dentro del aula?

M. The preposition **dentro de** (*within*) with time expressions

Substitute the numeral indicated.

Modelo: La clase empieza dentro de quince minutos. (veinte)
        *La clase empieza **dentro de veinte minutos**.*

    1. diez   2. cinco   3. veinticinco   4. dieciséis   5. ocho   6. seis   7. treinta   8. dos

N. The preposition **a lo largo de** (*along*)

Restate each sentence, using **a lo largo de**.

Modelo: En la playa hay casas para turistas.
        ***A lo largo de la playa** hay casas para turistas.*

    1. En la calle hay árboles hermosos. 2. En la avenida hay tiendas grandes. 3. En el camino hay pueblos pequeños. 4. En la carretera hay escuelas rurales. 5. En la costa hay playas inmensas. 6. En el paseo hay edificios públicos.

Dictado

Listen carefully to the recording. You will hear a series of sentences. Each sentence is followed by a pause to give you time to write it. Each sentence will be read twice. In the pause that follows the first reading, write as much of the sentence as you can. In the pause that follows the second reading, complete the sentence.

At the end of the dictation, the complete group of sentences will be read without pauses. This will give you an opportunity to check your copy.

_____

_____

_____

_____

_____

_____

_____

_____

_____

_____

_____

37 Toledo

Pronunciación

Repeat lines 1–27 (read with pauses); listen to lines 28–47 (read without pauses).

Preguntas

A. Answer each question with a complete sentence. Begin your answer with **sí** or **no**.

1. ¿ Está Toledo en el norte de España ? 2. ¿ Es el Greco un pintor del siglo XVI ? 3. ¿ Conserva el interior de Toledo su primitiva forma ? 4. ¿ Está situada la ciudad de Toledo en un valle ? 5. ¿ Corre el río Tajo alrededor de Toledo ?

B. Answer each question in a complete sentence. Model your answer on the question.

1. ¿ Está Toledo en el norte o en el centro de España ? 2. ¿ Es el Greco un pintor del siglo XVI o del siglo XVIII ? 3. ¿ Conserva el interior de Toledo su primitiva forma o tiene hoy una arquitectura moderna ? 4. ¿ Está situada la ciudad de Toledo en un valle o sobre un cerro ? 5. ¿ Corre el río Tajo o el Ebro alrededor de Toledo ?

Estructuras

A. The conditional after a past tense

Repeat each sentence, substituting the indicated phrase.

Modelo: Hay asientos en el tren. (Dijo que)
        Dijo que habría asientos en el tren.

1. prometió que   2. sabía que   3. creía que   4. suponía que   5. contestó que   6. explicó que

B. The conditional as the past of the future—**él** form

Change **dice** to **dijo** and make the other necessary changes.

Modelo: José dice que se hará maestro.
        José dijo que se haría maestro.

1. José dice que vendrá mañana. 2. José dice que saldrá por la tarde. 3. José dice que tendrá el dinero. 4. José dice que sabrá la verdad esta noche. 5. José dice que podrá pagar la cuenta. 6. José dice que habrá naranjas. 7. José dice que se pondrá el abrigo.

113

C. The conditional after **si**

Repeat each sentence, placing **Usted me preguntó si . . .** at the beginning of the sentence.

Modelo: ¿ Volverá usted ?
> *¿ Usted me preguntó si volvería ?*

1. ¿ Pagará usted ? 2. ¿ Vendrá usted ? 3. ¿ Trabajará usted ? 4. ¿ Dormirá usted ? 5. ¿ Saldrá usted ? 6. ¿ Hará usted el trabajo ?

D. The conditional and **pero**

Answer each question with the conditional and **pero,** as in the model.

Modelo: ¿ Tiene usted tiempo para pasear ?
> *Pasearía pero no tengo tiempo.*

1. ¿ Tiene usted tiempo para estudiar ? 2. ¿ Tiene usted tiempo para escuchar ? 3. ¿ Tiene usted tiempo para caminar ? 4. ¿ Tiene usted tiempo para comer ? 5. ¿ Tiene usted tiempo para venir ? 6. ¿ Tiene usted tiempo para salir ?

E. The use of **pero**

React to each statement, using . . . **pero no me gusta.**

Modelo: El convento es muy antiguo.
> *Sí, es muy antiguo, pero no me gusta.*

1. La leyenda es muy interesante. 2. La casa es muy vieja. 3. La torre es muy moderna. 4. El coche es muy rápido. 5. El museo es muy famoso. 6. La capital es muy pintoresca.

F. The use of **sino**

Combine the two sentences with **sino.**

Modelo: No quiero ir al cine. Quiero ir al teatro.
> *No quiero ir al cine sino al teatro.*

1. No quiero leer el libro. Quiero leer la carta.   2. No quiero comprar la silla. Quiero comprar el sillón.   3. No quiero llegar tarde. Quiero llegar temprano.   4. No quiero visitar el museo. Quiero visitar el castillo.   5. No quiero escuchar la canción. Quiero escuchar el concierto.   6. No quiero hablar con José. Quiero hablar con Roberto.

G. The conditional in a past sequence—**yo** form

Write each sentence, beginning with **Dije que,** making necessary changes.

Modelo: Volveré mañana.
> *Dije que volvería mañana.*

1. Iré mañana. 2. Vendré mañana. 3. Saldré mañana. 4. Trabajaré mañana. 5. Subiré mañana. 6. Terminaré mañana.

1. _____   4. _____

2. _____   5. _____

3. _____   6. _____

H. The conditional after **Creíamos** with the **tú** form

Write each sentence as in the model.

Modelo: Ayer no trabajé.
Creíamos que trabajarías.

1. Ayer no estudié. 2. Ayer no salí. 3. Ayer no vine. 4. Ayer no dormí. 5. Ayer no comí. 6. Ayer no gané.

1. _____   4. _____

2. _____   5. _____

3. _____   6. _____

I. The implied condition

Write the answer to each question with the conditional, as in the model.

Modelo: ¿ Puede usted escribir la carta ?
Escribiría la carta, pero es muy tarde.

1. ¿ Puede usted leer el verso ? 2. ¿ Puede usted bajar los libros ? 3. ¿ Puede usted terminar el trabajo ? 4. ¿ Puede usted empezar la lección ? 5. ¿ Puede usted servir la comida ? 6. ¿ Puede usted buscar las maletas ?

1. _____

2. _____

3. _____

4. _____

5. _____

6. _____

J. The verb **caerse**

Rewrite each sentence, substituting the indicated subject.

Modelo: Esta señora siempre se cae en la nieve. (usted)
Usted siempre se cae en la nieve.

1. ustedes   2. yo   3. nosotros   4. los chicos   5. usted y yo   6. aquella señorita

1. _____

2. _____

3. _____

4. _____

5. _____

6. _____

K. The use of **pero**

Rewrite each sentence according to the model.

Modelo: Fui al cine y vi la película.
   *Fui al cine **pero** no vi la película.*

1. Llegué temprano y estudié mucho. 2. Llovió mucho y nacieron las semillas. 3. Salí por la mañana y vi al abogado. 4. Entré en la sala y leí el periódico. 5. Fui al banco y guardé el dinero. 6. Escribí la carta y recibí la respuesta.

1. _____

2. _____

3. _____

4. _____

5. _____

6. _____

L. The use of **sino**

Answer each question according to the model.

Modelo: ¿ Quiere usted este asiento ?
   *No quiero ése, **sino** aquél.*

1. ¿ Quiere usted estas flores ? 2. ¿ Quiere usted este adorno ? 3. ¿ Quiere usted estos artículos ? 4. ¿ Quiere usted esta hamaca ? 5. ¿ Quiere usted este libro ? 6. ¿ Quiere usted estas fotografías ?

1. _____

2. _____

3. _____

4. _____

5. _____

6. _____

38   Los pueblos castellanos

Pronunciación

Repeat lines 1–27 (read with pauses); listen to lines 28–59 (read without pauses).

Preguntas

A.   Answer each question with a complete sentence. Begin each answer with **sí** or **no**.

1. ¿ Las casas de un pueblo español tienen generalmente dos pisos ? 2. ¿ Es sencilla la vida de los labradores ? 3. ¿ Tienen más trabajo los labradores en el verano ? 4. ¿ Juegan a las cartas los campesinos en la taberna ? 5. ¿ Prefieren los campesinos quedarse en los pueblos ?

B.   Answer each question in a complete sentence. Model your answer on the question.

1. ¿ Las casas de un pueblo español tienen generalmente dos o doce pisos ? 2. ¿ Es sencilla o complicada la vida de los labradores ? 3. ¿ Tienen más trabajo los labradores en el verano o en el invierno ? 4. ¿ Juegan a las cartas o al fútbol los campesinos en la taberna ? 5. ¿ Prefieren los campesinos quedarse en los pueblos o ir a la capital para trabajar ?

Estructuras

A.   The use of **cambiar de**

Form a question based on each statement, beginning with ¿ **Por qué no cambias de** . . . ?

Modelo: Esta casa no me gusta.
> *¿ Por qué no cambias de casa ?*

1. Este libro no me gusta. 2. Este cine no me gusta. 3. Esta clase no me gusta. 4. Este programa no me gusta. 5. Esta silla no me gusta. 6. Este piso no me gusta.

B.   The use of **casarse con**

Ask a question using ¿ **Cuándo te casas con** . . . ?

Modelo: Quiero mucho a esa chica.
> *¿ Cuándo te casas con ella ?*

1. Quiero mucho a esa señorita. 2. Quiero mucho a María. 3. Quiero mucho a ese chico. 4. Quiero mucho a Roberto. 5. Quiero mucho a Marta. 6. Quiero mucho a ese señor.

C. The use of **consistir en** . . .

Restate each sentence, using **consiste en.**

Modelo: Hay cinco preguntas en el examen.
El examen consiste en cinco preguntas.

1. Hay cinco platos en la cena. 2. Hay cinco partes en el libro. 3. Hay cinco habitaciones en la casa. 4. Hay cinco palabras en la frase. 5. Hay cinco murallas en la fortaleza. 6. Hay cinco tiendas en el centro.

D. The use of **contar con** . . .

Answer each question using **contar con.**

Modelo: ¿ Vendrá José ?
Sí, puedes contar con él.

1. ¿ Vendrá Carlota ? 2. ¿ Vendrá el abogado ? 3. ¿ Vendrá Roberto ? 4. ¿ Vendrán tus padres ? 5. ¿ Vendrán tus amigas ? 6. ¿ Vendrán los chicos ?

E. The use of **fijarse en** . . .

Answer each question affirmatively, using **Sí, me fijé en** . . .

Modelo: ¿ Notaste el abrigo de Carlos ?
Sí, me fijé en su abrigo.

1. ¿ Notaste la guitarra de Carlos ? 2. ¿ Notaste la pronunciación de Carlos ? 3. ¿ Notaste el sarape de Carlos ? 4. ¿ Notaste el traje de Carlos ? 5. ¿ Notaste las maletas de Carlos ? 6. ¿ Notaste las pinturas de Carlos ?

F. The use of **interesarse por** . . .

Restate each sentence affirmatively, using **Sí, se interesa mucho por** . . .

Modelo: A Roberto le gusta mucho la historia.
Sí, se interesa mucho por la historia.

1. A Roberto le gusta mucho la filosofía. 2. A Roberto le gusta mucho la fotografía. 3. A Roberto le gusta mucho la arquitectura. 4. A Roberto le gusta mucho la medicina. 5. A Roberto le gusta mucho la literatura. 6. A Roberto le gusta mucho la química.

G. The use of **jugar a** . . .

Repeat the sentence, substituting the indicated game.

Modelo: Jugamos al básketbol. (dominó)
Jugamos al dominó.

1. cartas   2. béisbol   3. ajedrez   4. fútbol

H. The use of **parecerse a** . . .

React to each statement, using **se parece bastante a.**

Modelo: Felipe y Carlos son hermanos.
Sí, y Felipe se parece bastante a Carlos.

1. José y Roberto son hermanos. 2. Ramón y Pedro son hermanos. 3. Luis y Ricardo son hermanos. 4. Carlota y María son hermanas. 5. Marta y Alicia son hermanas. 6. Ramón y María son hermanos.

I. The use of **pensar en** . . .

Answer each question affirmatively, using **Sí, pienso en** . . .

Modelo: ¿ En quién piensas ? ¿ en el joven ?
        Sí, pienso en el joven.

    1. ¿ En quién piensas ? ¿ en la chica ?   2. ¿ En quién piensas ? ¿ en la señora ?   3. ¿ En quién piensas ? ¿ en el profesor ?   4. ¿ En qué piensas ? ¿ en la escuela ?   5. ¿ En qué piensas ? ¿ en la lección ?   6. ¿ En qué piensas ? ¿ en el problema ?

J. The use of **servir de** . . .

React to each statement, using **nos sirve de** . . .

Modelo: Esto no es una silla.
        No importa, nos sirve de silla.

    1. Esto no es un plato. 2. Esto no es una sala. 3. Esto no es un postre. 4. Esto no es una taza. 5. Esto no es un vestido. 6. Esto no es una llave.

K. The use of **soñar con** . . .

React to each statement, using **está soñando con** . . .

Modelo: Mañana veré a Marta.
        Usted siempre está soñando con Marta.

    1. Mañana veré a las chicas. 2. Mañana veré al médico. 3. Mañana veré a los artistas. 4. Mañana veré al torero. 5. Mañana veré a las muchachas. 6. Mañana veré al español.

L. The use of **cubierto de** . . .

React to each sentence with a form of **cubierto de** and the word in parentheses.

Modelo: No veo la mesa. (libros)
        Es que está cubierta de libros.

    1. No veo la calle. (nieve) 2. No veo la casa. (árboles) 3. No veo el plato. (frutas) 4. No veo la silla. (papeles) 5. No veo el jamón. (pan) 6. No veo la pizarra. (mapas)

M. The use of **llegar a** . . .

Rewrite each statement, using **llegaron a** . . .

Modelo: Los chicos todavía no están en el pueblo.
        Sí, ya llegaron al pueblo.

    1. Los chicos todavía no están en el museo. 2. Los chicos todavía no están en la escuela. 3. Los chicos todavía no están en la iglesia. 4. Los chicos todavía no están en la catedral. 5. Los chicos todavía no están en el castillo. 6. Los chicos todavía no están en el mercado.

1. _____   4. _____

2. _____   5. _____

3. _____   6. _____

N. The use of **quejarse de . . .**

Rewrite each sentence as in the model.

Modelo: Esa criada no trabaja bien.
　　　　Por eso me quejo de ella.

1. Ese campesino no trabaja bien. 2. Carlos no trabaja bien. 3. María no trabaja bien. 4. Estos alumnos no trabajan bien. 5. Esos obreros no trabajan bien. 6. Esas chicas no trabajan bien.

1. _____

2. _____

3. _____

4. _____

5. _____

6. _____

O. The use of **reírse de . . .**

Rewrite each sentence negatively, using **se ríe de . . .**

Modelo: El guardia habla con el turista.
　　　　No, se ríe del turista.

1. El guardia habla con la señora. 2. El guardia habla con el chico. 3. El guardia habla con la criada. 4. El guardia habla con los campesinos. 5. El guardia habla con los jóvenes. 6. El guardia habla con las señoritas.

1. _____   4. _____

2. _____   5. _____

3. _____   6. _____

P. The use of **salir de . . .**

Write the answer to each question, using a form of **salir de . . .**

Modelo: ¿ Está Marta en la escuela ?
　　　　No, ya salió de la escuela.

1. ¿ Está Marta en la clase ? 2. ¿ Está Marta en la iglesia ? 3. ¿ Está Marta en la tienda ? 4. ¿ Está Marta en el hotel ? 5. ¿ Está Marta en el comedor ? 6. ¿ Está Marta en la cocina ?

1. _____   4. _____

2. _____   5. _____

3. _____   6. _____

39   La enseñanza en España

Pronunciación

Repeat lines 1–20 (read with pauses); listen to lines 21–49 (read without pauses).

Preguntas

A.   Answer each question with a complete sentence. Begin your answer with **sí** or **no.**

1. En el pasado ¿ podían llegar los hijos de todos los españoles a la universidad ? 2. ¿ Dura la instrucción básica diez años en España ? 3. El que quiere seguir estudiando materias clásicas ¿ va al Instituto ? 4. En España ¿ son los exámenes del final del año en diciembre ? 5. El que estudia en los centros de formación profesional ¿ aprende un oficio ?

B.   Answer each question in a complete sentence. Model your answer on the question.

1. En el pasado ¿ podían llegar los hijos de todos los españoles o sólo los hijos de la clase rica y media a la universidad ? 2. ¿ Dura la instrucción básica ocho o diez años en España ? 3. El que quiere seguir estudiando materias clásicas ¿ va al Instituto o a los Centros de Formación profesional ? 4. En España ¿ son los exámenes del final del año en diciembre o en junio ? 5. El que estudia en los centros de formación profesional ¿ aprende un oficio o aprende materias clásicas ?

Estructuras

A.   The use of adjectives with **ser** and **estar**

Reply to each statement with **estuvo**, as in the model.

Modelo: Ese chico es muy atrevido.
   *Pues, ayer no **estuvo** muy atrevido conmigo.*

1. Ese chico es muy avaro. 2. Ese chico es muy agradable. 3. Ese chico es muy interesante. 4. Ese chico es muy humilde. 5. Ese chico es muy romántico. 6. Ese chico es muy violento.

B.   The use of **estar** with the past participle

Answer each question with **estar** and the past participle.

Modelo: ¿ Cuándo vas a terminar el trabajo ?
   El trabajo ya está terminado.

1. ¿ Cuándo vas a empezar el examen ? 2. ¿ Cuándo vas a pagar los boletos ? 3. ¿ Cuándo vas a mandar el regalo ? 4. ¿ Cuándo vas a servir la comida ? 5. ¿ Cuándo vas a pintar la habitación ? 6. ¿ Cuándo vas a escribir las cartas ?

C. The use of **estar** to indicate place

Answer each question with **estar**.

Modelo: ¿ Ya salió Roberto de la escuela ?
No, todavía está en la escuela.

1. ¿ Ya salió Roberto de la casa ? 2. ¿ Ya salió Roberto del teatro ? 3. ¿ Ya salió Roberto de la iglesia ? 4. ¿ Ya salió Roberto del cine ? 5. ¿ Ya salió Roberto de la clase ? 6. ¿ Ya salió Roberto del laboratorio ?

D. The use of **ser** with nationality and **estar** with places

Answer each question according to the model.

Modelo: ¿ Esa mexicana vive en Colombia ahora ?
Sí, está en Colombia aunque es mexicana.

1. ¿ Ese francés vive en España ahora ? 2. ¿ Esa española vive en Bolivia ahora ? 3. ¿ Ese norte-americano vive en México ahora ? 4. ¿ Ese catalán vive en Andalucía ahora ? 5. ¿ Esa castellana vive en Francia ahora ? 6. ¿ Ese árabe vive en Madrid ahora ?

E. The use of **ser** to express origin

Answer each question affirmatively with **Sí, soy de . . .** as in the model.

Modelo: ¿ Nació usted en Madrid ?
Sí, soy de Madrid.

1. ¿ Nació usted en Toledo ? 2. ¿ Nació usted en Salamanca ? 3. ¿ Nació usted en este pueblo ? 4. ¿ Nació usted en esta ciudad ? 5. ¿ Nació usted en esta región ? 6. ¿ Nació usted en este país ?

F. The use of **ser** to indicate profession

Answer each question with **Sí, hace un año que soy . . .** , as in the model.

Modelo: ¿ Usted estudió para abogado ?
Sí, hace un año que soy abogado.

1. ¿ Usted estudió para médico ? 2. ¿ Usted estudió para arquitecto ? 3. ¿ Usted estudió para cura ? 4. ¿ Usted estudió para ingeniero ? 5. ¿ Usted estudió para maestro ? 6. ¿ Usted estudió para profesor ?

G. The use of **ser de** with materials

Rewrite each statement, using **no es de . . .** , as in the model.

Modelo: Un reloj de oro cuesta mucho.
Pero este reloj no es de oro.

1. Una mesa de madera cuesta mucho. 2. Un artículo de plata cuesta mucho. 3. Un sombrero de paja cuesta mucho. 4. Un muro de piedra cuesta mucho. 5. Una silla de metal cuesta mucho. 6. Un dulce de chocolate cuesta mucho.

1. _____

2. _____

3. _____

4. _____

5. _____

6. _____

H. The use of **ser** to form the passive voice

Write each sentence in the passive.

Modelo: Los españoles fundaron esta ciudad.
   *Esta ciudad **fue fundada** por los españoles.*

1. Los españoles abandonaron esta ciudad. 2. Los españoles ocuparon esta ciudad. 3. Los españoles conquistaron esta ciudad. 4. Los españoles atacaron esta ciudad. 5. Los españoles construyeron esta ciudad. 6. Los españoles destruyeron esta ciudad.

1. _____

2. _____

3. _____

4. _____

5. _____

6. _____

I. The use of **ser** in the sense of *to take place*

Write the answer to each question with **es el jueves.**

Modelo: ¿ Tiene usted una clase el miércoles ?
   *No, la clase **es el jueves.***

1. ¿ Tiene usted un examen el miércoles ? 2. ¿ Tiene usted una discusión el miércoles ? 3. ¿ Tiene usted un baile el miércoles ? 4. ¿ Tiene usted una cena el miércoles ? 5. ¿ Tiene usted un concierto el miércoles ? 6. ¿ Tiene usted una comida el miércoles ?

1. _____

2. _____

3. _____

4. _____

5. _____

6. _____

J. The use of **estar** to express the progressive

Write the answer to each question with the present progressive.

Modelo: ¿ Cuándo va a estudiar usted ?
Ya estoy estudiando.

1. ¿ Cuándo va a pasear usted ? 2. ¿ Cuándo va a escribir usted ? 3. ¿ Cuándo va a comer usted ?
4. ¿ Cuándo va a cerrar usted ? 5. ¿ Cuándo va a descansar usted ? 6. ¿ Cuándo va a cenar usted ?

1. _____   4. _____

2. _____   5. _____

3. _____   6. _____

K. The use of **estar** + the past participle

Write the answer to each question according to the model.

Modelo: ¿ Quién preparó la comida ?
Todavía no está preparada.

1. ¿ Quién publicó el libro ? 2. ¿ Quién ocupó el cuarto ? 3. ¿ Quién terminó el trabajo ?
4. ¿ Quién pagó la cuenta ? 5. ¿ Quién contestó la carta ? 6. ¿ Quién instaló el radio ?

1. _____

2. _____

3. _____

4. _____

5. _____

6. _____

40 La Ciudad Universitaria de Madrid

Pronunciación

Repeat lines 1–15 (read with pauses); listen to lines 16–52 (read without pauses).

Preguntas

A. Answer each question with a complete sentence. Begin your answer with **sí** or **no.**

1. ¿Son modernos los edificios de la Ciudad Universitaria? 2. Cuando muchos alumnos asisten a una clase ¿hace preguntas el catedrático a los alumnos? 3. Por lo general ¿las clases de la Universidad Complutense tienen lugar por la tarde? 4. En la Universidad Complutense ¿hay algunos estudiantes que faltan a la clase? 5. ¿Se empezó la construcción de la Ciudad Universitaria después de la Guerra Civil?

B. Answer each question in a complete sentence. Model your answer on the question.

1. ¿Son antiguos o modernos los edificios de la Ciudad Universitaria? 2. Cuando muchos alumnos asisten a una clase ¿hace preguntas el catedrático a los alumnos o explica la materia solamente? 3. Por lo general ¿las clases de la Universidad Complutense tienen lugar por la mañana o por la tarde? 4. En la Universidad Complutense ¿asisten siempre a la clase los alumnos o hay algunos estudiantes que faltan a la clase? 5. ¿Se empezó la construcción de la Ciudad Universitaria antes o después de la Guerra Civil?

Estructuras

A. The **yo** form of the preterite of a reflexive

Answer each question with . . . **a las siete.**

Modelo: ¿A qué hora se levantó usted?
   Me levanté a las siete.

1. ¿A qué hora se bañó usted? 2. ¿A qué hora se acostó usted? 3. ¿A qué hora se fue usted? 4. ¿A qué hora se marchó usted? 5. ¿A qué hora se casó usted? 6. ¿A qué hora se despertó usted?

B. The suffix **–ísimo**

Restate each sentence with an adjective in **–ísimo.**

Modelo: El edificio es muy moderno.
   El edificio es modernísimo.

1. La chica es muy pequeña. 2. La lección es muy difícil. 3. Las casas son muy grandes. 4. Los ejercicios son muy fáciles. 5. El pueblo es muy viejo. 6. La piedra es muy dura.

C. Reflexive forms in present

Rewrite each sentence, substituting the indicated subject.

Modelo: El profesor siempre se queda en la clase. (ustedes)
Ustedes siempre se quedan en la clase.

    1. yo   2. nosotros   3. tú   4. usted

1. _____

2. _____

3. _____

4. _____

D. Reflexive forms in the future

Rewrite each sentence, substituting the indicated subject.

Modelo: La chica se divertirá en el baile. (los muchachos)
Los muchachos se divertirán en el baile.

    1. yo   2. nosotros   3. usted   4. ustedes

1. _____

2. _____

3. _____

4. _____

E. The infinitive form of reflexive verbs

Rewrite each sentence, substituting the indicated subject.

Modelo: Los novios van a casarse en noviembre. (tú)
Tú vas a casarte en noviembre.

    1. yo   2. Roberto y María   3. nosotros   4. usted

1. _____   3. _____

2. _____   4. _____

F. The use of the reflexive as passive

Answer each question as in the model, using the reflexive form of the verb.

Modelo: ¿ Quién hace esas cosas ?
No sabemos. Sólo sabemos que se hacen.

    1. ¿ Quién dice esas cosas ? 2. ¿ Quién compra esas cosas ? 3. ¿ Quién vende esas cosas ? 4. ¿ Quién escribe esas cosas ?

1. _____

2. _____

3. _____

4. _____

41   Madrid: la Gran Vía

Pronunciación

Repeat lines 1–21 (read with pauses); listen to lines 22–63 (read without pauses).

Preguntas

A. Answer each question with a complete sentence. Begin your answer with **sí** or **no.**

1. ¿ Están las mesas de los cafés de Madrid solamente en el interior del café ? 2. ¿ En los cafés sirven comidas ? 3. Para viajar en Madrid ¿ hay solamente líneas de metro ? 4. ¿ Son caros los taxis en Madrid ? 5. ¿ Es la Gran Vía la avenida más antigua de Madrid ?

B. Answer each question in a complete sentence. Model your answer on the question.

1. ¿ Están las mesas de los cafés de Madrid solamente en el interior del café o también en las aceras delante del café ? 2. ¿ En los cafés sirven comidas o sólo helados y otras cosas ligeras ? 3. Para viajar en Madrid ¿ hay solamente líneas de metro o también autobuses ? 4. ¿ Son caros o baratos los taxis en Madrid ? 5. ¿ Es la Gran Vía la avenida más antigua o una de las más modernas de Madrid ?

Estructuras

A. The **usted** imperatives of regular verbs

Answer each question with an **usted** imperative.

Modelo: ¿ Puedo llevar el dinero ?
      Sí, **lleve usted** *el dinero.*

1. ¿ Puedo tomar la naranja ? 2. ¿ Puedo mirar las fotografías ? 3. ¿ Puedo llamar a la criada ? 4. ¿ Puedo escuchar la música ? 5. ¿ Puedo comer el plátano ? 6. ¿ Puedo aprender el poema ? 7. ¿ Puedo abrir la ventana ? 8. ¿ Puedo escribir la carta ?

B. The **ustedes** imperatives of irregular verbs

Answer each question with an **ustedes** imperative.

Modelo: ¿ Podemos mirar la televisión ?
      Sí, **miren ustedes** *la televisión.*

1. ¿ Podemos salir a las dos ? 2. ¿ Podemos venir esta noche ? 3. ¿ Podemos hacer el trabajo ? 4. ¿ Podemos ir al cine ? 5. ¿ Podemos decir la verdad ? 6. ¿ Podemos poner la carta allí ?

C. The **usted** imperative of radical-changing verbs

React to each statement with an **usted** imperative.

Modelo: No quiero cerrar la puerta.
　　　　Cierre la puerta.

　　1. No quiero empezar la lección. 2. No quiero volver mañana. 3. No quiero dormir en la sala. 4. No quiero servir la cena. 5. No quiero pedir dinero. 6. No quiero pensar en el trabajo.

D. The *let's* imperative

Restate each sentence with the *let's* imperative.

Modelo: Luis habla español.
　　　　Hablemos español también.

　　1. Luis estudia la lección. 2. Luis trabaja de noche. 3. Luis lee el periódico. 4. Luis bebe vino. 5. Luis come en la cocina. 6. Luis abre la ventana.

E. The **usted** imperative with double pronoun objects

Change each noun object to a pronoun object.

Modelo: Enséñeme el libro.
　　　　Enséñemelo.

　　1. Enséñeme la carta. 2. Enséñeme el coche. 3. Enséñeme el periódico. 4. Enséñeme las flores. 5. Enséñeme los programas. 6. Enséñeme la sala.

F. The *let's* imperative of reflexive verbs

Answer each question with the *let's* imperative.

Modelo: ¿Nos marchamos ahora?
　　　　Sí, marchémonos.

　　1. ¿Nos bañamos ahora? 2. ¿Nos levantamos ahora? 3. ¿Nos acostamos ahora? 4. ¿Nos sentamos ahora? 5. ¿Nos quedamos ahora? 6. ¿Nos casamos ahora?

G. Personal expressions with **tener**

React to each statement as in the model.

Modelo: Tengo frío.
　　　　Usted siempre tiene frío.

　　1. Tengo miedo. 2. Tengo hambre. 3. Tengo razón. 4. Tengo calor. 5. Tengo prisa. 6. Tengo sed. 7. Tengo sueño.

H. The **usted** imperative with pronoun objects

Write the answer to each question with an **usted** imperative and the pronoun object **la.**

Modelo: ¿Tengo que estudiar la lección?
　　　　Sí, estúdiela.

　　1. ¿Tengo que acabar la lección? 2. ¿Tengo que aprender la lección? 3. ¿Tengo que escribir la lección? 4. ¿Tengo que leer la lección? 5. ¿Tengo que completar la lección? 6. ¿Tengo que terminar la lección?

1. _____　　4. _____

2. _____　　5. _____

3. _____　　6. _____

I. The expression **acabar de . . .**

Write the answer to each question with **acabo de** + infinitive.

Modelo: ¿ Ha comido usted ?
  *Sí, **acabo de** comer.*

   1. ¿ Ha pagado usted ? 2. ¿ Ha cenado usted ? 3. ¿ Ha jugado usted ? 4. ¿ Ha contestado usted ?
5. ¿ Ha terminado usted ? 6. ¿ Ha salido usted ? 7. ¿ Ha subido usted ? 8. ¿ Ha descansado usted ?

1. _____   5. _____

2. _____   6. _____

3. _____   7. _____

4. _____   8. _____

J. The negative **usted** imperative with pronoun objects

Write the answer to each question, using a negative imperative.

Modelo: ¿ Escribo la carta ?
  *Sí, pero **no la escriba** ahora.*

   1. ¿ Mando la carta ? 2. ¿ Enseño la carta ? 3. ¿ Llevo la carta ? 4. ¿ Contesto la carta ? 5. ¿ Leo
la carta ? 6. ¿ Devuelvo la carta ?

1. _____

2. _____

3. _____

4. _____

5. _____

6. _____

K. The **ustedes** imperative with double third person pronoun objects

Write each sentence, changing both noun objects to pronoun objects.

Modelo: Den el dinero a María.
  Dénselo.

   1. Den la silla a María. 2. Den la naranja a María. 3. Den el vino a María. 4. Den los libros a
María. 5. Den las cartas a María. 6. Den la guitarra a María.

1. _____   4. _____

2. _____   5. _____

3. _____   6. _____

L. The negative of the *let's* imperative with pronoun objects

Write each sentence with the negative of the *let's* imperatives.

Modelo: Prestemos el dinero.

   No, no lo prestemos.

  1. Mandemos las cartas. 2. Pintemos el comedor. 3. Miremos las pinturas. 4. Visitemos el castillo. 5. Comamos las frutas. 6. Bebamos el agua. 7. Abramos las ventanas. 8. Escribamos los ejercicios.

1. _____   5. _____

2. _____   6. _____

3. _____   7. _____

4. _____   8. _____

M. Personal expressions with **tener**

Write the answer to each question according to the model.

Modelo: ¿ Por qué comes tanto ? ¿ Tienes hambre ?

   Sí, tengo hambre.

  1. ¿ Por qué te pones el abrigo ? ¿ Tienes frío ? 2. ¿ Por qué caminas tan rápido ? ¿ Tienes prisa ? 3. ¿ Por qué bebes tanta agua ? ¿ Tienes sed ? 4. ¿ Por qué cierras los ojos ? ¿ Tienes sueño ? 5. ¿ Por qué no llevas abrigo ? ¿ Tienes calor ? 6. ¿ Por qué gritas tanto ? ¿ Tienes miedo ?

1. _____   4. _____

2. _____   5. _____

3. _____   6. _____

42 Madrid: la Puerta del Sol, Cibeles y el Retiro

Pronunciación

Repeat lines 1–21 (read with pauses); listen to lines 22–60 (read without pauses).

Preguntas

A. Answer each question with a complete sentence. Begin your answer with **sí** or **no.**

1. ¿ Es la Puerta del Sol una puerta antigua ? 2. ¿ Está Correos en la Puerta del Sol ? 3. ¿ Se venden tabacos en los estancos ? 4. ¿ Es el Retiro un monasterio ? 5. ¿ Se pueden comprar sellos en Correos ?

B. Answer each question in a complete sentence. Model your answer on the question.

1. ¿ Es la Puerta del Sol una puerta antigua o la plaza principal de Madrid ? 2. ¿ Está Correos en la Puerta del Sol o en Cibeles ? 3. ¿ Se venden tabacos o vinos en los estancos ? 4. ¿ Es el Retiro un monasterio o un parque de Madrid ? 5. ¿ Se pueden comprar sellos en Correos o en el Banco de España ?

Estructuras

A. The subjunctive after **Es posible** with **–ar** verbs

Place **Es posible . . .** before each sentence.

Modelo: Juan gasta mucho.
> *Es posible que Juan gaste mucho.*

1. Juan estudia mucho. 2. Juan trabaja mucho. 3. Juan nada mucho. 4. Juan camina mucho. 5. Juan habla mucho. 6. Juan viaja mucho.

B. The subjunctive after **Es probable:** the **nosotros** form of **–ar** verbs

Place **Es probable . . .** before each sentence.

Modelo: Ayudamos en la escuela.
> *Es probable que ayudemos en la escuela.*

1. Hablamos en la escuela. 2. Cantamos en la escuela. 3. Cenamos en la escuela. 4. Trabajamos en la escuela. 5. Pintamos en la escuela. 6. Descansamos en la escuela.

C. The subjunctive after **Es preciso** with **–ir** verbs

Place **Es preciso . . .** before each sentence.

Modelo: Ustedes viven en Texas.
   Es preciso que ustedes vivan en Texas.

    1. Ustedes escriben los ejercicios. 2. Ustedes suben las mesas. 3. Ustedes reciben el dinero. 4. Ustedes abren la puerta. 5. Ustedes permiten la reunión. 6. Ustedes reparten los libros.

D. The subjunctive after **Es raro que . . .** with radical-changing verbs

Place **Es raro que . . .** before each sentence.

Modelo: Yo pido dinero a mi padre.
   Es raro que yo pida dinero a mi padre.

    1. Yo cierro la puerta. 2. Yo vuelvo a casa. 3. Yo duermo por la tarde. 4. Yo encuentro a María. 5. Yo caliento la habitación. 6. Yo sigo viajando en diciembre.

E. The subjunctive after **Es necesario que . . .** with irregular verbs

Place **Es necesario . . .** before each sentence.

Modelo: José vendrá mañana.
   Es necesario que José venga mañana.

    1. José saldrá mañana. 2. José irá al centro mañana. 3. José hará el trabajo mañana. 4. José dirá el secreto mañana. 5. José verá la película mañana. 6. José tendrá el dinero mañana.

F. The possessive pronoun **el mío**

Write your reaction to each statement, as in the model.

Modelo: María tiene un coche.
   Es más grande que el mío.

    1. María tiene una casa. 2. María tiene un reloj. 3. María tiene una bandera. 4. María tiene unas naranjas. 5. María tiene unos diseños. 6. María tiene un cuarto.

1. _____

2. _____

3. _____

4. _____

5. _____

6. _____

G. The possessive pronoun **el suyo**

Write a question based on each statement, using a form of **el suyo**.

Modelo: Mis libros están en la mesa.
   ¿ Dónde están los suyos ?

    1. Mi reloj está en la mesa. 2. Mis obras están en la mesa. 3. Mi examen está en la mesa. 4. Mi merienda está en la mesa. 5. Mis cartas están en la mesa. 6. Mi dinero está en la mesa.

1. _____

2. _____

3. _____

4. _____

5. _____

6. _____

H. The possessive pronoun **el de usted**

Write a question based on each statement, using a form of **el de usted**.

Modelo: Nuestro coche está en el garaje.

    ¿ Dónde está el de usted ?

  1. Nuestro chófer está en la calle. 2. Nuestra casa está en el centro. 3. Nuestros amigos están aquí. 4. Nuestros hijos están en el parque. 5. Nuestras fotografías están en la sala. 6. Nuestro padre está en el patio.

1. _____

2. _____

3. _____

4. _____

5. _____

6. _____

I. The subjunctive after impersonal expressions

Rewrite each sentence according to the model.

Modelo: Aquí se habla español. (Es natural que)

    Es natural que aquí se hable español.

  1. Aquí se habla español. (Es necesario que) 2. Aquí se habla español. (Es raro que) 3. Aquí se habla español. (Es importante que) 4. Aquí se habla español. (Es posible que) 5. Aquí se habla español. (Es bueno que) 6. Aquí se habla español. (Es probable que)

1. _____

2. _____

3. _____

4. _____

5. _____

6. _____

Dictado

Listen carefully to the recording. You will hear a series of sentences. Each sentence is followed by a pause to give you time to write it. Each sentence will be read twice. In the pause that follows the first reading, write as much of the sentence as you can. In the pause that follows the second reading, complete the sentence.

At the end of the dictation, the complete group of sentences will be read without pauses. This will give you an opportunity to check your copy.

_____

_____

_____

_____

_____

_____

_____

_____

_____

_____

_____

_____

43   El Museo del Prado

Pronunciación

Repeat lines 1–19 (read with pauses); listen to lines 20–59 (read without pauses.)

Preguntas

A.   Answer each question with a complete sentence. Begin each answer with **sí** or **no.**

1. ¿ Es el Prado una escuela ? 2. ¿ Está el cuadro más conocido del Greco en el Prado ? 3. ¿ Pintó Velázquez *Las Hilanderas* ? 4. ¿ Es religiosa la pintura de Murillo ? 5. ¿ Fue Goya el precursor de la pintura moderna ?

B.   Answer each question in a complete sentence. Model your answer on the question.

1. ¿ Es el Prado una escuela o un museo ? 2. ¿ Está el cuadro más conocido del Greco en el Prado o en Toledo ? 3. ¿ Pintó *Las Hilanderas* Velázquez o Murillo ? 4. ¿ Es religiosa o realista la pintura de Murillo ? 5. ¿ Fue Goya o Murillo el precursor de la pintura moderna ?

Estructuras

A.   The use of **buen** for **bueno**

Answer each question, placing the proper form of **bueno** before its noun.

Modelo: ¿ Es bueno el libro ?
*Sí, es un **buen** libro.*

1. ¿ Es bueno el médico ? 2. ¿ Es buena la criada ? 3. ¿ Son buenas las frutas ? 4. ¿ Son buenos los asientos ? 5. ¿ Es bueno el periódico ? 6. ¿ Es buena la corrida ?

B.   The use of **primer** for **primero**

React to each statement by placing the proper form of **primero** before its noun.

Modelo: Aquí están los periódicos.
*Déme el **primer** periódico.*

1. Aquí están los libros. 2. Aquí están los mapas. 3. Aquí están las revistas. 4. Aquí están las cartas. 5. Aquí están los programas. 6. Aquí están los billetes.

C.   The use of **gran** for **grande**

Repeat each sentence, substituting the indicated noun.

Modelo: Conozco a un gran pintor. (maestro)
*Conozco a un **gran** maestro.*

1. médico   2. profesor   3. ingeniero   4. arquitecto   5. torero   6. artista

D. The use of **ningún** for **ninguno**

Repeat each sentence, substituting the indicated noun.

Modelo: No tenemos ninguna novela. (dinero)
*No tenemos **ningún** dinero.*

    1. idea   2. problema   3. película   4. coche   5. billete   6. carta

E. The use of the forms of **santo**

Repeat each sentence, substituting the indicated proper name.

Modelo: ¿ Conoce usted la vida de San Juan ? (Pablo)
*¿ Conoce usted la vida de **San Pablo** ?*

    1. María   2. Tomás   3. Pedro   4. Teresa   5. Marta   6. Miguel

F. The use of **algún** for **alguno**

Write each sentence in the singular.

Modelo: Aquí hay algunos secretos.
*Aquí hay **algún** secreto.*

    1. Aquí hay algunos profesores. 2. Aquí hay algunos abrigos. 3. Aquí hay algunas cartas. 4. Aquí hay algunos cuadernos. 5. Aquí hay algunas películas. 6. Aquí hay algunos taxis.

1. _____   4. _____

2. _____   5. _____

3. _____   6. _____

G. The use of **mal** for **malo**

Rewrite each sentence, placing the adjective **mal** before its noun.

Modelo: Es un hombre muy malo.
*Sí, es un **mal** hombre.*

    1. Es un pintor muy malo. 2. Es una escuela muy mala. 3. Es un artista muy malo. 4. Es una criada muy mala. 5. Es una tienda muy mala. 6. Es un torero muy malo.

1. _____   4. _____

2. _____   5. _____

3. _____   6. _____

H. The use of **cualquier** for **cualquiera**

Write the answer to each question, using **cualquier,** as in the model.

Modelo: ¿ Qué libro quieres ?
*Dame **cualquier** libro.*

    1. ¿ Qué retrato quieres ? 2. ¿ Qué naranja quieres ? 3. ¿ Qué sitio quieres ? 4. ¿ Qué vestido quieres ? 5. ¿ Qué sombrero quieres ? 6. ¿ Qué pintura quieres ?

1. _____   4. _____

2. _____   5. _____

3. _____   6. _____

44 El matrimonio en España

Pronunciación

Repeat lines 1–20 (read with pauses); listen to lines 21–59 (read without pauses).

Preguntas

A. Answer each question with a complete sentence. Begin your answer with **sí** or **no**.

1. ¿ Habla una chica española bien educada con desconocidos ? 2. ¿ Existe el divorcio en España ? 3. ¿ Tiene lugar la boda en la iglesia ? 4. ¿ Se casan los novios españoles poco después de conocerse ? 5. ¿ Hacen los novios los arreglos para la boda ?

B. Answer each question in a complete sentence. Model your answer on the question.

1. ¿ Habla la chica española bien educada con personas conocidas o con desconocidos ? 2. ¿ Existe el divorcio o dura el matrimonio toda la vida en España ? 3. ¿ Tiene lugar la boda en la iglesia o ante un juez civil ? 4. ¿ Se casan los novios españoles poco después de conocerse o cuando se conocen perfectamente ? 5. ¿ Hacen los novios o los padres los arreglos para la boda ?

Estructuras

A. The present subjunctive after a verb of fearing

React to each statement by saying: **Tengo miedo que usted . . .**

Modelo: Yo cantaré mañana.
　　　　Tengo miedo que usted no cante mañana.

1. Yo hablaré mañana. 2. Yo terminaré mañana. 3. Yo trabajaré mañana. 4. Yo escribiré mañana. 5. Yo aprenderé la lección mañana. 6. Yo vendré mañana.

B. The perfect subjunctive after the expression **Me alegro que . . .**

React to each statement by saying that you are glad that the speaker (whom you address with **tú**) has done it.

Modelo: Acabo de leer el libro.
　　　　Me alegro que hayas leído el libro.

1. Acabo de terminar el trabajo. 2. Acabo de hablar con Marta. 3. Acabo de encontrar un piso. 4. Acabo de salir con María. 5. Acabo de abrir la ventana. 6. Acabo de ver a Felipe.

C. The perfect subjunctive after the expression **Nos gusta que...**

React to each statement by saying that you (plural) are pleased that the speaker (using **tú**) has been able to do this.

Modelo: Por fin pude venir.
   Nos gusta que hayas venido.

1. Por fin pude descansar. 2. Por fin pude dormir. 3. Por fin pude comer. 4. Por fin pude salir. 5. Por fin pude estudiar. 6. Por fin pude entrar.

D. The perfect subjunctive after **dudar**

Say that you doubt that the subject has done what was stated.

Modelo: Roberto llegó temprano.
   Dudo que *Roberto* **haya llegado** *temprano.*

1. Roberto vivió en España. 2. Roberto corrió por la calle. 3. Roberto regresó con el dinero. 4. Roberto tomó el coche. 5. Roberto aprendió el dialecto. 6. Roberto vendió la guitarra.

E. A third-person possessive pronoun

React to each statement as in the model.

Modelo: Ellos van a pintar su casa.
   Pero la casa de ellos está muy mala.

1. Ella va a usar su sombrero. 2. Él va a vender su coche. 3. Los estudiantes van a vender sus guitarras. 4. María va a leer sus versos. 5. Los alumnos van a darle sus trajes. 6. Los niños van a enseñarle su habitación.

F. The present subjunctive after the expression **Me gusta que...**

Write each sentence, placing **Me gusta que...** before each sentence, and make the necessary changes.

Modelo: Tú trabajas mucho.
   Me gusta que tú trabajes mucho.

1. Tú visitas la capital. 2. Tú hablas con los niños. 3. Tú te levantas temprano. 4. Tú comes mucho. 5. Tú escribes a menudo. 6. Tú sales con Margarita.

1. _____

2. _____

3. _____

4. _____

5. _____

6. _____

G. The present subjunctive after **Yo no creo que...**

Write each answer, saying that you do not believe that the person will do what **Felipe** believes.

Modelo: Felipe cree que la señora vendrá mañana.
   Yo no creo que venga mañana.

1. Felipe cree que la señora saldrá mañana. 2. Felipe cree que la señora irá a Madrid mañana. 3. Felipe cree que la señora sabrá la verdad mañana. 4. Felipe cree que la señora hará este trabajo mañana. 5. Felipe cree que la señora volverá mañana. 6. Felipe cree que la señora decidirá mañana.

1. _____

2. _____

3. _____

4. _____

5. _____

6. _____

H. The subjunctive after a clause beginning **Busco** + NOUN + **que**

Write each sentence, changing **Tenemos** + NOUN to **Busco** + NOUN, making other necessary changes.

Modelo: Tenemos una criada que trabaja bien.
*Busco una criada que **trabaje** bien.*

1. Tenemos un pájaro que canta mucho. 2. Tenemos un coche que cuesta poco. 3. Tenemos un hotel que cobra poco. 4. Tenemos un chófer que habla inglés. 5. Tenemos un profesor que sabe español. 6. Tenemos un médico que viene a menudo.

1. _____

2. _____

3. _____

4. _____

5. _____

6. _____

I. The subjunctive in a clause after **No hay nadie que . . .**

Write each sentence, beginning with **No hay nadie que . . .**

Modelo: Todos los alumnos saben eso.
*No hay nadie que **sepa** eso.*

1. Todos los chicos comen eso. 2. Todos los artistas hacen eso. 3. Todas las criadas comprenden eso. 4. Todos los abogados dicen eso. 5. Todos los maestros creen eso.

1. _____

2. _____

3. _____

4. _____

5. _____

J. The possessive pronoun **el de usted**

Write each sentence substituting a form of **el de usted** for the last noun.

Modelo: Traje mi libro y su libro.
Traje mi libro y el de usted.

1. Traje mis papeles y sus papeles. 2. Traje mi fotografía y su fotografía. 3. Traje mis pinturas y sus pinturas. 4. Traje mi billete y su billete. 5. Traje mi dinero y su dinero. 6. Traje mis revistas y sus revistas.

1. _____

2. _____

3. _____

4. _____

5. _____

6. _____

45 Galicia

Pronunciación

Repeat lines 1–20 (read with pauses); listen to lines 21–57 (read without pauses).

Preguntas

A. Answer each question with a complete sentence. Begin your answer with **sí** or **no**.

1. ¿ Es verde el paisaje de Galicia ? 2. ¿ Es parecido al portugués el idioma gallego ? 3. En julio ¿ hace frío en Madrid ? 4. ¿ Está Santander junto al mar ? 5. ¿ Es conocida por sus playas la ciudad de Santiago de Compostela ?

B. Answer each question in a complete sentence. Model your answer on the question.

1. ¿ Es verde o amarillo el paisaje de Galicia ? 2. ¿ Es el idioma gallego parecido al portugués o al catalán ? 3. En julio ¿ hace frío o hace mucho calor en Madrid ? 4. ¿ Está Santander junto al mar o en las montañas ? 5. ¿ Es conocida por sus playas o por su catedral la ciudad de Santiago de Compostela ?

Estructuras

A. The use of the subjunctive after verbs of wishing

Place **Su padre quiere . . .** before each statement and make the necessary changes.

Modelo: Carlos va a vender su guitarra.
Su padre quiere que Carlos venda su guitarra.

1. Carlos va a leer la revista. 2. Carlos va a bajar la maleta. 3. Carlos va a escribir una carta. 4. Carlos va a preparar la comida. 5. Carlos va a ir a México. 6. Carlos va a salir esta noche.

B. The subjunctive after **Prefiero que . . .**

Answer each question, using **Prefiero que . . .**

Modelo: ¿ Puedo salir esta noche ?
Prefiero que no salgas esta noche.

1. ¿ Puedo pasear esta noche ? 2. ¿ Puedo bailar esta noche ? 3. ¿ Puedo venir esta noche ? 4. ¿ Puedo regresar esta noche ? 5. ¿ Puedo bajar esta noche ? 6. ¿ Puedo escribir esta noche ?

141

C. The imperfect subjunctive with a past tense of **querer**

Change each main clause to **La señora quería** ... and make the other necessary adjustments.

Modelo: La señora quiere que yo descanse.
La señora quería que yo descansara.

1. La señora quiere que yo llame. 2. La señora quiere que yo conteste. 3. La señora quiere que yo aprenda. 4. La señora quiere que yo decida. 5. La señora quiere que yo suba. 6. La señora quiere que yo me levante.

D. The use of **más ... de lo que** with **ser**

React to each statement with **más ... de lo que yo pensaba.**

Modelo: Esta sala es muy grande.
Sí, es más grande de lo que yo pensaba.

1. Esta sala es muy pequeña. 2. Esta sala es muy moderna. 3. Esta sala es muy bonita. 4. Esta sala es muy útil. 5. Esta sala es muy pintoresca. 6. Esta sala es muy vieja.

E. The use of **lo** + adjective + **que es**

Answer, using ¡ **Usted no sabe lo ... que es** !

Modelo: ¿ Es muy malo ese señor ?
¡ Usted no sabe lo malo que es !

1. ¿ Es muy difícil ese curso ? 2. ¿ Es muy largo el camino ? 3. ¿ Es muy verde la pared ? 4. ¿ Es muy viejo el novio ? 5. ¿ Es muy avaro el campesino ? 6. ¿ Es muy interesante este libro ?

F. The imperfect subjunctive with a past tense of **alegrarse**

Write each sentence changing **Me alegro** ... to **Me alegré** ... and making appropriate changes in the subordinate verb.

Modelo: Me alegro que comprendas.
Me alegré que comprendieras.

1. Me alegro que trabajes. 2. Me alegro que pintes. 3. Me alegro que cantes. 4. Me alegro que comas. 5. Me alegro que vengas. 6. Me alegro que salgas.

1. _____

2. _____

3. _____

4. _____

5. _____

6. _____

G. The imperfect subjunctive after a conditional

Write the answer to each question with **Me gustaría** ... and the **tú** form of the imperfect subjunctive.

Modelo: ¿ Tengo que buscar la comida ?
Me gustaría que la buscaras.

1. ¿ Tengo que preparar la comida ? 2. ¿ Tengo que subir la comida ? 3. ¿ Tengo que pedir la comida ? 4. ¿ Tengo que servir la comida ? 5. ¿ Tengo que traer la comida ? 6. ¿ Tengo que comprar la comida ?

1. _____

2. _____

3. _____

4. _____

5. _____

6. _____

H. The use of **más . . . de lo que** with **parecer**

Rewrite each sentence with **Parece más . . . de lo que es.**

Modelo: La lección es muy difícil.
Parece más difícil de lo que es.

1. El coche es muy viejo. 2. La región es muy montañosa. 3. El edificio es muy alto. 4. El valle es muy fértil. 5. La meseta es muy ancha. 6. La catedral es muy antigua.

1. _____

2. _____

3. _____

4. _____

5. _____

6. _____

I. The use of the **vosotros** form in the present

Rewrite each sentence with **vosotros.**

Modelo: Ustedes enseñan de noche.
Vosotros enseñáis de noche.

1. Ustedes trabajan de noche. 2. Ustedes descansan de noche. 3. Ustedes cantan de noche. 4. Ustedes comen de noche. 5. Ustedes salen de noche. 6. Ustedes suben de noche.

1. _____

2. _____

3. _____

4. _____

5. _____

6. _____

J. The use of **más . . . de lo que crees**

Answer each question according to the model.

Modelo: ¿ Roberto está cansado ?

   Sí, está más cansado de lo que crees.

1. ¿ Roberto está adelantado ? 2. ¿ Roberto está asombrado ? 3. ¿ Roberto está entretenido ? 4. ¿ Roberto está viejo ? 5. ¿ Roberto está enamorado ? 6. ¿ Roberto está pobre ?

1. _____

2. _____

3. _____

4. _____

5. _____

6. _____

K. The use of **por lo mucho que** + verb

Rewrite each sentence according to the model.

Modelo: Juan trabaja mucho.

   Merece un descanso por lo mucho que trabaja.

1. Juan vende mucho.   2. Juan estudia mucho. 3. Juan escribe mucho. 4. Juan practica mucho. 5. Juan aprende mucho. 6. Juan viaja mucho.

1. _____

2. _____

3. _____

4. _____

5. _____

6. _____

46   Valencia y Andalucía

Pronunciación

Repeat lines 1–26 (read with pauses); listen to lines 27–62 (read without pauses.)

Preguntas

A.   Answer each question with a complete sentence. Begin your answer with **sí** or **no**.

1. ¿ Es conocida por sus naranjas la región de Valencia ? 2. ¿ Van muchos españoles a Toledo a pasar la Semana Santa ? 3. ¿ Está en Córdoba la mezquita más conocida de España ? 4. En la época de los árabes ¿ era Córdoba el centro de la cultura cristiana ? 5. ¿ Es el flamenco un baile andaluz ?

B.   Answer each question in a complete sentence. Model your answer on the question.

1. ¿ Es conocida la región de Valencia por sus naranjas o sus aceitunas ? 2. ¿ Van muchos españoles a Toledo o a Sevilla a pasar la Semana Santa ? 3. ¿ Está en Córdoba o en Málaga la mezquita más conocida de España ? 4. En la época de los árabes ¿ era Córdoba el centro de la cultura cristiana o de la cultura árabe ? 5. ¿ Es el flamenco un baile andaluz o catalán ?

Estructuras

A.   The subjunctive with **a menos que**

Complete the **a menos que** clause with the proper form of the same verb as is used in the main clause.

Modelo: La señora no protestará.
> *La señora no protestará **a menos que** usted **proteste**.*

1. La señora no hablará. 2. La señora no insistirá. 3. La señora no saldrá. 4. La señora no irá. 5. La señora no trabajará. 6. La señora no comerá.

B.   The subjunctive with **antes de que**

Say that you will prepare everything before **Carlos** does what he is going to do.

Modelo: Carlos hablará a las seis.
> *Prepararé todo antes de que Carlos **hable**.*

1. Carlos cenará a las seis. 2. Carlos vendrá a las seis. 3. Carlos saldrá a las seis. 4. Carlos irá a las seis. 5. Carlos llegará a las seis. 6. Carlos volverá a las seis.

C.   The subjunctive with **cuando**

Repeat each sentence so that the sense is in the future.

Modelo: Contesto cuando me llaman.
> *Contestaré cuando me **llamen**.*

1. Contesto cuando me mandan. 2. Contesto cuando me hablan. 3. Contesto cuando me escriben. 4. Contesto cuando me preguntan. 5. Contesto cuando me miran. 6. Contesto cuando me gritan.

D. The subjunctive with **para que**

Replace **y** with **para que** and make the necessary changes.

Modelo: Trabajaré y tú descansarás.
Trabajaré para que tú descanses.

1. Trabajaré y tú viajarás. 2. Trabajaré y tú escribirás. 3. Trabajaré y tú comerás. 4. Trabajaré y tú pasearás. 5. Trabajaré y tú aprenderás. 6. Trabajaré y tú saldrás.

E. The use of **Ojalá . . .** with the present subjunctive

State the thought of the sentence with **Ojalá . . .**

Modelo: Dicen que va a llover.
Ojalá que llueva.

1. Dicen que va a hacer fresco. 2. Dicen que va a nevar. 3. Dicen que va a hacer frío. 4. Dicen que va a hacer mucho calor. 5. Dicen que va a hacer buen tiempo. 6. Dicen que va a hacer sol.

F. The use of **Ojalá . . .** with the imperfect subjunctive

Substitute **Ojalá** for **Yo quisiera . . .**

Modelo: Yo quisiera que usted se quedara.
Ojalá que usted se quedara.

1. Yo quisiera que usted se divirtiera. 2. Yo quisiera que usted se fuera. 3. Yo quisiera que usted tuviera razón. 4. Yo quisiera que usted fuera rico. 5. Yo quisiera que usted tuviera mucho tiempo. 6. Yo quisiera que usted viniera todos los días.

G. The subjunctive with **cuando**

Write the answer to each question with **cuando** and **te lo diré**.

Modelo: ¿ Ya fuiste al mercado ?
No, pero cuando vaya, te lo diré.

1. ¿ Ya terminaste ? 2. ¿ Ya llamaste ? 3. ¿ Ya cobraste ? 4. ¿ Ya ganaste ? 5. ¿ Ya acabaste ? 6. ¿ Ya comiste ?

1. _____

2. _____

3. _____

4. _____

5. _____

6. _____

H. The subjunctive with **aunque**

React to each statement with **Aunque ustedes . . . ,** as in the model.

Modelo: Nosotros no iremos.
Aunque ustedes no vayan, nosotros iremos.

1. Nosotros no entraremos. 2. Nosotros no ayudaremos. 3. Nosotros no escribiremos. 4. Nosotros no volveremos. 5. Nosotros no hablaremos. 6. Nosotros no escucharemos.

1. _____

2. _____

3. _____

4. _____

5. _____

6. _____

I. The subjunctive with **hasta que**

Write each sentence so that the sense is in the future.

Modelo: Estuve aquí hasta que llegó Roberto.
*Estaré aquí hasta que **llegue** Roberto.*

1. Estuve aquí hasta que llamó Roberto. 2. Estuve aquí hasta que vino Roberto. 3. Estuve aquí hasta que salió Roberto. 4. Estuve aquí hasta que subió Roberto. 5. Estuve aquí hasta que se fue Roberto. 6. Estuve aquí hasta que se marchó Roberto.

1. _____

2. _____

3. _____

4. _____

5. _____

6. _____

J. The subjunctive with **quizás . . .**

Write each sentence with **Quizás . . .**, as in the model.

Modelo: Juan no cantó todavía.
*Quizás **cante** más tarde.*

1. Juan no volvió todavía. 2. Juan no salió todavía. 3. Juan no regresó todavía. 4. Juan no habló todavía. 5. Juan no subió todavía. 6. Juan no comió todavía.

1. _____

2. _____

3. _____

4. _____

5. _____

6. _____

147

K. The subjunctive after **después de que . . .**

Rewrite each sentence according to the model.

Modelo: Compraré los sellos ahora.
Ven a verme después de que compres los sellos.

1. Escucharé la canción ahora. 2. Escribiré la carta ahora. 3. Llevaré el coche ahora. 4. Abriré las puertas ahora. 5. Cerraré las ventanas ahora. 6. Leeré el periódico ahora.

1. _____

2. _____

3. _____

4. _____

5. _____

6. _____

L. The subjunctive after **Ojalá que . . .**

Rewrite each sentence according to the model.

Modelo: Creo que iré a España.
Ojalá que vayas a España.

1. Creo que traeré el dinero. 2. Creo que vendré temprano. 3. Creo que saldré esta noche. 4. Creo que tendré tiempo. 5. Creo que volveré mañana. 6. Creo que oiré el concierto.

1. _____

2. _____

3. _____

4. _____

5. _____

6. _____

47   Gloria y decadencia de España

Pronunciación

Listen to lines 1–41 (read without pauses); repeat lines 42–59 (read with pauses.)

Preguntas

A.   Answer each question with a complete sentence. Begin your answer with **sí** or **no.**

1. ¿ Expulsaron de España los Reyes Católicos a los franceses ? 2. ¿ Descubrió Cristóbal Colón América en 1492 ? 3. ¿ Descubrió Florida Balboa ? 4. ¿ Dieron la primera vuelta al mundo los barcos de Magallanes ? 5. ¿ Empezó la decadencia de España bajo Carlos I ?

B.   Answer each question in a complete sentence. Model your answer on the question.

1. ¿ Expulsaron de España los Reyes Católicos a los franceses o a los moros ? 2. ¿ Descubrió Cristóbal Colón América en 1492 o en 1512 ? 3. ¿ Descubrió Florida Balboa o Ponce de León ? 4. ¿ Dieron la primera vuelta al mundo los barcos de Magallanes o los de Pizarro ? 5. ¿ Empezó la decadencia de España bajo Carlos I o bajo Felipe II ?

Estructuras

A.   Verb + the infinitive

Repeat each sentence, substituting the indicated verb.

Modelo: Quiero cocinar. (cantar)
Quiero cantar.

(a) Quiero cocinar.
1. pintar   2. escribir   3. trabajar   4. leer

(b) Podemos cocinar.
1. pintar   2. escribir   3. trabajar   4. leer

(c) Me gusta cocinar.
1. pintar   2. escribir   3. trabajar   4. leer

(d) Decidieron cocinar.
1. pintar   2. escribir   3. trabajar   4. leer

(e) Las chicas saben cocinar.
1. pintar   2. escribir   3. trabajar   4. leer

B. Verb + **de** + infinitive

Repeat each sentence, substituting the indicated phrase.

Modelo: María se acuerda de cocinar. (abrir la puerta)
María se acuerda de abrir la puerta.

(a) María se acuerda de cocinar.
1. comer a las dos 2. volver a las siete 3. hablar con Roberto 4. llamar a José

(b) Me alegro de cocinar.
1. comer a las dos 2. volver a las siete 3. hablar con Roberto 4. llamar a José

(c) Nos olvidamos de cocinar
1. comer a las dos 2. volver a las siete 3. hablar con Roberto 4. llamar a José

(d) Nuestros amigos trataron de cocinar.
1. comer a las dos 2. volver a las siete 3. hablar con Roberto 4. llamar a José

(e) Ellas acabaron de cocinar.
1. comer a las dos 2. volver a las siete 3. hablar con Roberto 4. llamar a José

C. The pluperfect subjunctive after **era posible que** . . .

Write each sentence, beginning with **Era posible que,** making the other necessary changes.

Modelo: Es posible que María haya visto la película.
Era posible que María hubiera visto la película.

1. Es posible que María haya perdido su reloj. 2. Es posible que María haya encontrado una casa. 3. Es posible que María haya hecho este trabajo. 4. Es posible que María haya cambiado el dinero. 5. Es posible que María haya tenido miedo. 6. Es posible que María haya dicho eso. 7. Es posible que María haya llegado ayer.

1. _____

2. _____

3. _____

4. _____

5. _____

6. _____

7. _____

D. The pluperfect subjunctive after **Me alegré que** . . .

Write each sentence, changing **Me alegro que** . . . to **Me alegré que** . . .

Modelo: Me alegro que usted haya venido.
Me alegré que usted hubiera venido.

1. Me alegro que usted se haya casado. 2. Me alegro que usted haya llegado. 3. Me alegro que usted se haya divertido. 4. Me alegro que usted haya acabado. 5. Me alegro que usted se haya decidido. 6. Me alegro que usted haya regresado.

150

1. _____

2. _____

3. _____

4. _____

5. _____

6. _____

E. The pluperfect in a clause with an unfulfilled antecedent

Write each sentence, changing **Quiero** to **Quería,** making the other necessary changes.

Modelo: Quiero una persona que haya trabajado allí.
*Quería una persona que **hubiera trabajado allí.***

1. Quiero una persona que haya tenido experiencia. 2. Quiero una persona que haya visitado la región. 3. Quiero una persona que haya aprendido español. 4. Quiero una persona que haya escrito un libro. 5. Quiero una persona que haya estado en Sud América. 6. Quiero una persona que haya enseñado un año.

1. _____

2. _____

3. _____

4. _____

5. _____

6. _____

F. The conditional perfect and the pluperfect subjunctive

Rewrite each sentence according to the model.

Modelo: Te llamaré cuando termine.
Te habría llamado cuando hubiese terminado.

1. Te llamaré cuando salga. 2. Te llamaré cuando empiece. 3. Te llamaré cuando vaya. 4. Te llamaré cuando vuelva. 5. Te llamaré cuando gane. 6. Te llamaré cuando decida.

1. _____

2. _____

3. _____

4. _____

5. _____

6. _____

G. The pluperfect subjunctive after aunque

Rewrite each sentence, using **aunque** and the pluperfect subjunctive.

Modelo: ¿ Usted no vino porque no tuvo tiempo ?
  *No habría venido **aunque hubiese tenido** tiempo.*

1. ¿ Usted no vino porque no compró un regalo ? 2. ¿ Usted no vino porque no recibió la invitación ? 3. ¿ Usted no vino porque no encontró la casa ? 4. ¿ Usted no vino porque no tenía dinero ? 5. ¿ Usted no vino porque no sabía la dirección ? 6. ¿ Usted no vino porque no leyó el libro ?

1. _____

2. _____

3. _____

4. _____

5. _____

6. _____

48 España en los siglos XIX y XX

Pronunciación

Repeat lines 1–15 (read with pauses); listen to lines 16–62 (read without pauses).

Preguntas

A. Answer each question with a complete sentence. Begin each answer with **sí** or **no.**

1. ¿ Invadieron a España las tropas de Napoleón en el siglo XV ? 2. ¿ Perdió España sus colonias de América durante la época de la invasión francesa ? 3. En 1931 ¿ votaron los españoles a favor de la República ? 4. Durante la República ¿ había mucha libertad ? 5. Al final de la Guerra Civil ¿ hubo una nueva república ?

B. Answer each question in a complete sentence. Model your answer on the question.

1. ¿ Invadieron a España las tropas de Napoleón en el siglo XV o XIX ? 2. ¿ Perdió España sus colonias de América o de África durante la época de la invasión francesa ? 3. En 1931 ¿ votaron los españoles a favor de la República o de la monarquía ? 4. Durante la República ¿ había mucha o poca libertad ? 5. Al final de la Guerra Civil ¿ hubo una nueva república o se impuso la dictadura del general Franco ?

Estructuras

A. Conditional sentences with the imperfect subjunctive and the conditional

React to each statement with a conditional sentence.

Modelo: No tengo dinero. No puedo pagar la cuenta.
  *Si **tuviera** dinero, **pagaría** la cuenta.*

1. No tengo dinero. No puedo viajar.   2. No tengo dinero. No puedo jugar.   3. No tengo dinero. No puedo comer.   4. No tengo dinero. No puedo comprar un coche.   5. No tengo dinero. No puedo ir al cine.   6. No tengo dinero. No puedo tomar el avión.

B. Contrary-to-fact conditions

Answer each question, using the pluperfect subjunctive and ending the answer with . . . **habría estado más contento.**

Modelo: ¿ Encontró Carlos el reloj ?
  *Si **hubiera encontrado** el reloj, **habría estado** más contento.*

1. ¿ Vendió Carlos la casa ? 2. ¿ Compró Carlos el abrigo ? 3. ¿ Ganó Carlos el juego ? 4. ¿ Recibió Carlos la carta ? 5. ¿ Consiguió Carlos la habitación ? 6. ¿ Pagó Carlos la cuenta ?

C. Conditions with the imperfect subjunctive and the conditional

Answer each question with **Si tuviera tiempo . . .** and the conditional.

Modelo: Usted no hablará ¿ verdad ?
*Si tuviera tiempo, **hablaría.***

1. Usted no comerá ¿ verdad ? 2. Usted no leerá ¿ verdad ? 3. Usted no vendrá ¿ verdad ? 4. Usted no saldrá ¿ verdad ? 5. Usted no trabajará ¿ verdad ? 6. Usted no empezará ¿ verdad ?

D. Conditional sentences with the pluperfect subjunctive and the past conditional

Write each sentence as a conditional sentence.

Modelo: Roberto no vino. No llamó a su hermana.
*Si Roberto **hubiera venido, habría llamado** a su hermana.*

1. Roberto no vino. No compró un coche. 2. Roberto no vino. No comió. 3. Roberto no vino. No descansó. 4. Roberto no vino. No habló con nosotros. 5. Roberto no vino. No jugó con nosotros. 6. Roberto no vino. No vio a sus amigos.

1. _____

2. _____

3. _____

4. _____

5. _____

6. _____

E. Conditions with the imperfect subjunctive and the conditional

Write each sentence with **si** + subjunctive + conditional.

Modelo: Aunque Carlos trabaja, no gana mucho.
*Si **trabajara más, ganaría más.***

1. Aunque Carlos trabaja, no cobra mucho. 2. Aunque Carlos trabaja, no aprende mucho. 3. Aunque Carlos trabaja, no vende mucho. 4. Aunque Carlos trabaja, no ayuda mucho. 5. Aunque Carlos trabaja, no recibe mucho. 6. Aunque Carlos trabaja, no tiene mucho.

1. _____

2. _____

3. _____

4. _____

5. _____

6. _____

49 La literatura española: sus comienzos y el siglo de oro

Pronunciación

Repeat lines 1–15 (read with pauses); listen to lines 16–60 (read without pauses).

Preguntas

A. Answer each question with a complete sentence. Begin your answer with **sí** or **no.**

1. ¿Es *La Celestina* la primera obra sobresaliente de la literatura española ? 2. ¿Es *La Celestina* una novela picaresca ? 3. ¿Escribió Lope de Vega más de mil seiscientas comedias ? 4. ¿Es Don Juan Tenorio un buen padre de familia ? 5. En una narración picaresca ¿ se describen las aventuras de un muchacho pobre ?

B. Answer each question in a complete sentence. Model your answer on the question.

1. ¿Es *El cantar del mío Cid* o *La Celestina* la primera obra sobresaliente de la literatura española ? 2. ¿Es *La Celestina* una novela picaresca o una obra dramática ? 3. ¿Escribió Lope de Vega menos de cien o más de mil seiscientas comedias ? 4. ¿Es Don Juan Tenorio un buen padre de familia o un arrogante galán ? 5. En una narración picaresca ¿ se describen las aventuras de un muchacho pobre o de un muchacho rico ?

Estructuras

A. Verb + infinitive

Add . . . **hablar español** to each verb, supplying a preposition where necessary.

Modelo: Aprendo
    Aprendo a hablar español.

1. Carlos comienza 2. Nosotros decidimos 3. ¿Quien puede 4. Los chicos tratan 5. Me gusta 6. Nos olvidamos 7. María se acuerda 8. Sé 9. Nuestros amigos prefieren 10. ¿Quiere usted 11. Voy 12. No me atrevo 13. Nos alegramos 14. Esperamos

B. The infinitive with **antes de**

Write each sentence with **antes de** + INFINITIVE so as to make yourself the doer of the second idea.

Modelo: Leeré el artículo antes de que usted salga.
*Leeré el artículo **antes de salir**.*

1. Leeré el artículo antes de que usted venga. 2. Leeré el artículo antes de que usted termine. 3. Leeré el artículo antes de que usted llame. 4. Leeré el artículo antes de que usted llegue. 5. Leeré el artículo antes de que usted hable.

1. _____

2. _____

3. _____

4. _____

5. _____

C. The infinitive with **para**

Write each sentence with **para** + infinitive so as to make yourself the individual concerned with the second idea.

Modelo: Conseguiré el dinero para que usted viaje.
*Conseguiré el dinero **para viajar**.*

1. Conseguiré el dinero para que usted venga. 2. Conseguiré el dinero para que usted compre el abrigo. 3. Conseguiré el dinero para que usted pinte la casa. 4. Conseguiré el dinero para que usted coma. 5. Conseguiré el dinero para que usted vaya a la universidad.

1. _____

2. _____

3. _____

4. _____

5. _____

D. Impersonal expressions with the infinitive rather than the subjunctive

Write each sentence with the infinitive so that it becomes impersonal.

Modelo: Es justo que paguemos la cuenta.
*Es justo **pagar** la cuenta.*

1. Es necesario que paguemos la cuenta. 2. Es importante que paguemos la cuenta. 3. Es preciso que paguemos la cuenta. 4. Es imposible que paguemos la cuenta. 5. Es mejor que paguemos la cuenta. 6. Es natural que paguemos la cuenta.

1. _____ 4. _____

2. _____ 5. _____

3. _____ 6. _____

50 La literatura española: desde el siglo de oro hasta nuestros días

Pronunciación

Repeat lines 1–31 (read with pauses); listen to lines 32–60 (read without pauses).

Preguntas

A. Answer each question with a complete sentence. Begin your answer with **sí** or **no**.

1. ¿ Es *Don Juan* la obra más conocida de la literatura española ? 2. ¿ Era Don Quijote una persona práctica ? 3. ¿ Es novelista Galdós ? 4. ¿ Escribió García Lorca sobre los gitanos ? 5. ¿ Fue un poeta realista Espronceda ?

B. Answer each question in a complete sentence. Model your answer on the question.

1. ¿ Es *Don Juan* o *Don Quijote* la obra más conocida de la literatura española ? 2. ¿ Era Don Quijote una persona práctica o una persona idealista ? 3. ¿ Es Galdós novelista o poeta ? 4. ¿ Escribió García Lorca sobre los gitanos o sobre las costumbres de su época ? 5. ¿ Fue Espronceda un poeta realista o romántico ?

Estructuras

A. The use of **que** as subject of its clause

Write each sentence, introducing . . . **es el estudiante que** . . . into each sentence.

Modelo: Roberto quiere viajar.
   Roberto es el estudiante **que** *quiere viajar.*

1. Roberto quiere salir. 2. Roberto quiere jugar. 3. Roberto quiere cantar. 4. Roberto quiere acostarse.

1. _____

2. _____

3. _____

4. _____

B. The use of **que** as object of its clause.

Write each sentence with **que,** as in the model.

Modelo: María compró una casa.
La casa que María compró no me gusta.

1. María publicó una novela. 2. María encontró una habitación. 3. María escribió una carta. 4. María pidió un abrigo. 5. María contó una leyenda. 6. María vendió un cuadro. 7. María terminó un cuento. 8. María visitó un museo.

1. _____

2. _____

3. _____

4. _____

5. _____

6. _____

7. _____

8. _____

C. The use of **de** + a form of **el cual**

Write each sentence introducing **de** + a form of **el cual.**

Modelo: Hablamos de la chica.
Es la chica de la cual hablamos.

1. Hablamos del obrero. 2. Hablamos del autor. 3. Hablamos de la casa. 4. Hablamos de la calle. 5. Hablamos del pintor. 6. Hablamos de la ciudad. 7. Hablamos de la iglesia. 8. Hablamos del asunto.

1. _____

2. _____

3. _____

4. _____

5. _____

6. _____

7. _____

8. _____

D. The use of **en** + a form of **el cual**

Rewrite each sentence, introducing the proper form of **. . . en la cual no había nadie.**

Modelo: No había nadie en la fábrica.
Fuimos a la fábrica, en la cual no había nadie.

1. No había nadie en la clase. 2. No había nadie en la iglesia. 3. No había nadie en el edificio. 4. No había nadie en el bosque. 5. No había nadie en el pueblo. 6. No había nadie en el comedor.

1. _____

2. _____

3. _____

4. _____

5. _____

6. _____

E. The use of **quien** as a relative

Rewrite each sentence, using **quien** to begin a non-restrictive clause. End the sentence with . . . **no dijo nada.**

Modelo: La chica había visto los cuadros.
*La chica, **quien había visto los cuadros**, no dijo nada.*

1. La chica había visto las películas. 2. La chica había visto las cartas. 3. La chica había visto los diseños. 4. La chica había visto las canciones. 5. La chica había visto las preguntas. 6. La chica había visto el reloj. 7. La chica había visto la carretera. 8. La chica había visto la mesa.

1. _____

2. _____

3. _____

4. _____

5. _____

6. _____

7. _____

8. _____

F. The use of **cuyo**

Rewrite, combining both sentences with **cuyo**, as per model.

Modelo: La señora está aquí. Conocimos a su esposo ayer.
*La señora, **a cuyo esposo conocimos ayer**, está aquí.*

1. La señora está aquí. Conocimos a su hija ayer. 2. La señora está aquí. Conocimos a su hermano ayer. 3. La señora está aquí. Conocimos a su madre ayer.

1. _____

2. _____

3. _____

Dictado

Listen carefully to the recording. You will hear a series of sentences. Each sentence is followed by a pause to give you time to write it. Each sentence will be read twice. In the pause that follows the first reading, write as much of the sentence as you can. In the pause that follows the second reading, complete the sentence.

At the end of the dictation, the complete group of sentences will be read without pauses. This will give you an opportunity to check your copy.

_____

_____

_____

_____

_____

_____

_____

_____

_____

_____

_____

_____

Dictado